MI CR
EN CRISTO

MW00441141

James D. Crane

CASA BAUTISTA DE PUBLICACIONES

CASA BAUTISTA DE PUBLICACIONES
7000 Alabama Street, El Paso, TX 79904, EE. UU. de A.
www.casabautista.org

Nuestra pasión: Comunicar el mensaje de Jesucristo y facilitar la formación de discípulos por medios impresos y electrónicos.

Mi crecimiento en Cristo. © Copyright 1996, Casa Bautista de Publicaciones. 7000 Alabama Street, El Paso, Texas 79904, Estados Unidos de América. Todos los derechos reservados. Prohibida su reproducción o transmisión total o parcial, por cualquier medio, sin el permiso escrito de los publicadores.

Ediciones: 1996, 1997, 1999, 2000, 2003, 2006
Séptima edición: 2008

Clasificación Decimal Dewey: 248.4

Temas: 1. Vida cristiana
2. Desarrollo nuevos creyentes

ISBN: 978-0-311-13017-7
C.B.P. Art. No. 13017

3 M 5 08

Impreso en Colombia
Printed in Colombia

CONTENIDO

Con fundamento en el sentido claro del Nuevo Testamento, este libro trata consecutivamente los siguientes temas:

1. La seguridad de la salvación
2. Cómo crecer en la vida cristiana (1a. parte)
3. Cómo crecer en la vida cristiana (2a. parte)
4. El hogar del creyente – la iglesia local
5. El Espíritu Santo – nuestro ayudador
6. Libertad del poder del pecado
7. El bautismo cristiano
8. La voluntad de Dios en la vida diaria

Con cada estudio se asignan tareas prácticas que tienen por objeto: (1) ayudar al nuevo hermano en la formación de los hábitos de devoción personal que son indispensables para el sostenimiento de una vida espiritual vigorosa; y (2) adiestrarle progresivamente en la práctica de testificar de Cristo al mundo inconverso.

Lea esto, por favor

Este libro está dedicado al desarrollo espiritual de los nuevos creyentes. Contiene instrucciones breves para la persona que la iglesia asigna como el "hermano guía", ocho lecciones y un diploma que debe ser entregado al alumno cuando termine la serie.

Para usar el libro en forma correcta, lea primero las instrucciones en las primeras páginas. Después, para comenzar el curso, ábralo en el centro y desprenda la Lección 1. De igual forma, desprenda las lecciones y ayudas adicionales siguientes a medida que las vaya usando.

Puede matricular al alumno y mantener un registro de su progreso en las últimas páginas.

Probablemente quiera matricular a este hermano nuevo en otro estudio al terminar esta serie. Vea la lista de libros que le pueden ayudar en su crecimiento espiritual, en la página 63.

INSTRUCCIONES

Sobre el Uso de los Materiales para el Plan "Guía de Mi Hermano"

I. EN LA SALA DE CONSULTAS

Después de que las personas que hicieron profesión de fe hayan recibido las atenciones recomendadas en el libro *Desarrollo Espiritual de Nuevos Hermanos*, Capítulo III, debe entregársele a cada una un ejemplar del Evangelio de Juan, la LECCION 1 del cuaderno *Mi Crecimiento en Cristo*, juntamente con la carta de bienvenida del pastor, a la cual se debe llamar la atención. (Esta carta se encuentra con la LECCION 1 y con anterioridad debe haber sido firmada por el pastor y sellada con el sello de la iglesia.)

II. POR EL "HERMANO GUIA"

Primera Visita

Tiempo: Lo más pronto posible después de que el "hermano nuevo" haya hecho pública profesión de fe. De ser posible, debe ser dentro de dos días.

Materiales que llevar: Cinco (5) folletos evangelizadores breves que hayan sido previamente aprobados por el pastor de la iglesia; la LECCION 2 de este cuaderno; y un Nuevo Testamento que vender, prestar o regalar al "hermano nuevo", según se crea más prudente.

Procedimiento: El "hermano guía" se presentará por nombre, expresará el gozo que siente al tener el privilegio de servir a su "hermano nuevo" y le preguntará si le gustó el estudio bíblico que recibió al hacer su profesión de fe. Pedirá que el "hermano nuevo" le muestre el estudio. Si ya comenzó a contestar las preguntas, le felicitará por su interés. Le preguntará si hay algo en el estudio que le cause dificultad y le ayudará a terminar, si aún le quedan preguntas que contestar.

Cuando hayan terminado el estudio, el "hermano guía" volverá sobre la primera pregunta para indagar si el "hermano nuevo" *ahora* está seguro de tener a Cristo en su corazón. Le ayudará a comprender el significado de 1 Juan 5:11, 12. Hará hincapié en el hecho de que nuestra seguridad NO depende de nuestros sentimientos, sino del testimonio de la Palabra de Dios.

Si el "hermano nuevo" aún se muestra inseguro, vuelva con paciencia sobre todo el estudio hasta que se vea que haya plena comprensión.

Finalmente, entregue al "hermano nuevo" la LECCION 2, juntamente con los cinco folletos evangelizadores breves. Explíquele el uso que ha de darse a estos folletos. (Véanse las instrucciones en la LECCION 2.) Pregúntele si ya tiene un Nuevo Testamento. Si no, hay que vender, prestar o regalarle uno porque los siguientes estudios demandarán su uso.

Tengan una oración juntos y luego hágase una cita para verse nuevamente dentro de ocho días.

Segunda Visita

Tiempo: A no más de ocho días después de la visita anterior.

Materiales que llevar: Un ejemplar del folleto: "¿Me Permite un Momento de Su Tiempo?" que se encuentra a continuación de la LECCION 2 y de la LECCION 3 de este cuaderno.

Procedimiento: Después de un cordial saludo, el "hermano guía" preguntará al "hermano nuevo" cómo le ha ido con el estudio de la LECCION 2. Revisará el trabajo hecho y le ayudará a terminar, si aún le faltan preguntas que contestar.

Luego, repasen las tareas de la semana: (1) Averigüe si el "hermano nuevo" está observando su diaria "cita con Dios" y si está al corriente con las lecturas bíblicas sugeridas; (2) Repasen juntos los textos señalados para aprenderse hasta aquí; y (3) Pregunte acerca de su experiencia con lo que tenía que "hacer". En este caso, se trataba del reparto de los cinco folletos evangelizadores breves.

Ahora, entregue al "hermano nuevo" los materiales para la siguiente semana: (1) La LECCION 3 y (2) un ejemplar del folleto "¿Me Permite un Momento de Su Tiempo?" Explíquele la idea del envío de este folleto en una carta que escriba a algún pariente o amigo.

Finalmente, tengan una oración juntos y hágase una cita nuevamente para verse dentro de ocho días.

Tercera Visita

Tiempo: A no menos de ocho días después de la visita anterior.

Materiales que llevar: La LECCION 4 de este cuaderno.

Procedimiento: El mismo. (1) Saludos; (2) Revisión y terminación del estudio pendiente; (3) Repaso de las tareas asignadas de la semana; (4) Entrega de la siguiente lección y explicación de las nuevas tareas; (5) Tener una oración juntos; y (6) Despedida, después de hacer cita para la siguiente visita.

Cuarta Visita

Tiempo: A no menos de ocho días después de la visita anterior.

Materiales que llevar: La LECCION 5 de este cuaderno, y los dos ejemplares del folleto "¿Me permite un Momento de Su Tiempo?" que acompañan esta lección.

Procedimiento: El mismo de las lecciones anteriores.

Quinta Visita

Tiempo: A no menos de ocho días después de la visita anterior.

Materiales que llevar: La LECCION 6 de este cuaderno y dos ejemplares del Evangelio de Juan para vender, regalar o prestar al "hermano nuevo".

Procedimiento: El mismo de las lecciones anteriores.

Sexta Visita

Tiempo: A no menos de ocho días después de la visita anterior.

Materiales que llevar: La LECCION 7 de este cuaderno.

Procedimiento: El mismo de las lecciones anteriores.

Séptima Visita

Tiempo: A no menos de ocho días después de la visita anterior.

Materiales que llevar: La LECCION 8 de este cuaderno

Procedimiento: El mismo que las lecciones anteriores. Al terminar, hágase mención del certificado que pronto recibirá en uso de los cultos de la iglesia y hágase una cita para que el "hermano nuevo" pueda hablar con el pastor de la iglesia, quien le explicará acerca del bautismo y de sus futuras relaciones con la iglesia.

Octava Visita

Tiempo: A no menos de ocho días después de la visita anterior.

Materiales que llevar: Nada.

Procedimiento: Revísese la LECCION 8. Felicite al "hermano nuevo" por su interés, fidelidad y empeño en el estudio de sus lecciones. Háganse arreglos de día, fecha, hora y lugar para la visita del pastor de la iglesia. Despídase con una oración.

Nombre ______________________________

LECCION 8 – LA VOLUNTAD DE DIOS EN LA VIDA DIARIA

Que el alumno cuente las impresiones de su tercera visita con las dos personas que han sido objeto de sus oraciones por cuatro semanas. Se le dará tres ejemplares del folleto llamado COMO TENER UNA VIDA ABUNDANTE Y CON PROPOSITO (CBP-20230). Se le dará dos ejemplares de la Lección 1 del curso MI CRECIMIENTO EN CRISTO. También llevará cinco folletos evangelísticos para seguir repartiendo a gente nueva.

TAREAS. Se realizarán durante la semana.

1. *Para Leer:* Gálatas, capítulos 1 al 6. [1] [2] [3] [4] [5] [6]
   (Tachar cada número al leer el capítulo correspondiente.) Además, recuerde que la ORACION es parte esencial de su diaria CITA CON DIOS. Los cinco elementos básicos de la oración cristiana son:
   (1) La ADORACION, en que alabamos a Dios por lo que él es;
   (2) La ACCION DE GRACIAS, en que le agradecemos sus actos de bondad;
   (3) La CONFESION, en que le exponemos nuestros pecados y le pedimos perdón;
   (4) La INTERCESION, en que pedimos por el adelanto del Reino de Dios y por las necesidades de otros; y
   (5) La PETICION, en que suplicamos el favor divino por nuestros propios menesteres.
2. *Para Aprender: 1 Juan 2:16, 17.* 16 – Porque todo lo que hay en el mundo, los deseos de la carne, los deseos de los ojos, y la vanagloria de la vida, no proviene del Padre, sino del mundo. 17 – Y el mundo pasa, y sus deseos; pero el que hace la voluntad de Dios permanece para siempre.
3. *Para Hacer:* visitar nuevamente a las dos personas por cuya salvación está orando para hacerles una presentación bíblica del evangelio con el fin de *invitarles a tomar la decisión de recibir a Cristo por fe como su Señor y Salvador. (Repase las "cinco verdades vitales" presentadas en la Lección 3, página 3-4, también aprenda a usar el folleto* COMO TENER UNA VIDA ABUNDANTE Y CON PROPOSITO *ya que al hacer las dos visitas usted les leerá el folleto detenidamente y al llegar*

a la página 13 del folleto les pedirá que hagan la decisión de ACEPTAR EL REGALO DE LA SALVACION y lean la ORACION del que confiesa su pecado a Dios para recibir el perdón y abundante vida eterna. Regale el folleto. Inmediatamente, usted les ofrecerá el curso que usted está completando. Usted debe ofrecerse para ayudarle a por lo menos uno de ellos con las lecciones, y su propio maestro ayudará al otro en la misma forma que usted ha recibido la ayuda hasta ahora. Recuerde que les hará falta el EVANGELIO DE JUAN que ya se les había regalado; siga orando por las dos personas que ahora inician su curso MI CRECIMIENTO EN CRISTO.

PREGUNTAS PARA CONTESTAR

1. ¿Cuál era "la comida" de Cristo, según *Juan 4:34*?

   ___

2. ¿Qué buscaba Cristo, según *Juan 5:30*?

   ___

3. ¿Para qué descendió Cristo del cielo, según *Juan 6:38*?

   ___

8-2

4. Según *Hebreos 10:7*, ¿qué dijo Cristo al venir al mundo?

   ___

   ___

5. En *1 Juan 2:17*, ¿qué se le promete al que hace la voluntad de Dios?

___

6. ¿Qué sucederá al siervo que no haga la voluntad del Señor, según *Lucas 12:47, 48*?

   (1) El que conoció la voluntad del Señor y no la hizo recibirá

   ___ (*Lucas 12:47*).

   (2) El que sin conocerla hizo cosas dignas de azotes será ___ (*Lucas 12:48*).

7. ¿Qué parentesco tiene con Cristo aquel que hace la voluntad de Dios, según *Marcos 3:35*?

   ___

8. De acuerdo con *Mateo 7:21*, ¿quién entrará en el reino de los cielos?

   ___

9. En algunas cosas la voluntad de Dios para el creyente está indicada claramente en las Escrituras. De acuerdo con las siguientes citas, ¿cuál es esa voluntad?

Nombre ____

LECCION 7 —EL BAUTISMO CRISTIANO

Nuevamente, que el alumno cuente los resultados de las visitas de esta semana pasada hablando de los versículos que les haya leído a las dos personas y el progreso en sus invitaciones a concurrir al templo. Ver página 5-1 Tarea 3. También darles cinco folletos más para seguir repartiendo a gente nueva.

TAREAS. Se realizarán durante la semana.

1. *Para Leer:* Hechos de los Apóstoles, capítulos 22 al 28. (No olvide tachar cada número al leer el capítulo correspondiente.) [22] [23] [24] [25] [26] [27] [28]
2. *Para Aprender: Romanos 6:3-5.* 3 — ¿O no sabéis que todos los que hemos sido bautizados en Cristo Jesús, hemos sido bautizados en su muerte? 4 — Porque somos sepultados juntamente con él para muerte por el bautismo, a fin de que como Cristo resucitó de los muertos por la gloria del Padre, así también nosotros andemos en vida nueva. 5 — Porque si fuimos plantados juntamente con él en la semejanza de su muerte, así también lo seremos en la de su resurrección.
3. *Para Hacer:* Visitar por tercera vez a las dos personas por cuya salvación está orando. Pregúnteles si han estado leyendo el Evangelio que les obsequió la vez pasada y qué les ha parecido. Dígales que está orando por ellas y cuénteles su propio testimonio personal de salvación. (Repase las sugerencias dadas respecto al TESTIMONIO PERSONAL en la LECCION 3, página 3-3. Que el TESTIMONIO no pase de un minuto y medio.)

PREGUNTAS PARA CONTESTAR

Desde el principio de estos estudios hemos estado haciendo hincapié en el testimonio cristiano. Cada lección ha llevado unas tareas prácticas al respecto, y la Lección 3 presentó tres maneras efectivas de testificar verbalmente por el Señor. Ahora vamos a pensar en otro aspecto del asunto — en EL TESTIMONIO DEL BAUTISMO BIBLICO.

1. En "la gran comisión" que Cristo dio en *Mateo 28:18-20* encontramos tres cosas: (1) su autoridad (*vv. 18*); (2) su mandato (*vv. 19, 20a*); y (3) su promesa (*vv. 20b*). Observemos que el mandato de Jesús *(Mateo 28:19, 20a)* presenta cuatro deberes. ¿Cuáles son?

(1)____
(2)____
(3)____
(4)____

2. ¿Qué hicieron los tres mil que el día de Pentecostés recibieron la palabra del Señor? *(Hechos 2:41)*

   ____

3. En Samaria, ¿qué hicieron los que creyeron el evangelio anunciado por Felipe? (*Hechos 8:12*)

   ____

4. ¿Qué quiso hacer el eunuco cuando Felipe le evangelizó *(Hechos 8:36)*

   ____

5. ¿Qué hizo Saulo al ser convertido y recibir la visita de Ananías? *(Hechos 9:18)*

   ____

6. ¿Qué hizo Pedro con los creyentes de Cesarea? (*Hechos 10:47, 48*)

   ____

7. ¿Qué hizo Lidia cuando el Señor le abrió su corazón? (*Hechos 16:14, 15*) ____________________

7-2

8. ¿Qué hizo el carcelero de Filipos cuando fue convertido? (*Hechos 16:32, 33*)

   ____

9. ¿Qué hicieron Crispo, los de su casa y muchos de los corintios cuando oyeron el evangelio y creyeron? *(Hechos 18:8)*

   ____

De las citas examinadas hasta aquí se desprenden dos verdades: (1) *Cristo ordenó* que los que se hicieran sus discípulos *fueran bautizados;* y (2) Los creyentes del primer siglo *todos obedecieron este mandato del Señor.*

10. El estudio cuidadoso del Nuevo Testamento revela que algo importante siempre precedió al bautismo. De acuerdo con las siguientes citas, diga usted qué pasó ANTES de que las personas indicadas fueran bautizadas.
    (1) *Hechos 2:41* ____________________
    (2) *Hechos 8:12* ____________________
    (3) *Hechos 10:47* ____________________
    (4) *Hechos 16:14, 15* ____________________
    (5) *Hechos 18:8* ____________________

Concluimos, pues, que el bautismo bíblico es PARA CREYENTES solamente. No hay en las Escrituras un solo

Nombre ______________________________

LIBERTAD:
LECCION 6 VICTORIA DEL PODER DEL PECADO

Que el alumno relate su experiencia de las dos visitas que hizo en la que se invitaba a esas dos personas al templo y a leer el folleto, "Me Permite un Momento de Su Tiempo". Darles cinco folletos más para repartir a gente nueva.

TAREAS. Se realizarán durante la semana. 15 16 17 18 19 20 21

1. *Para Leer:* Hechos de los Apóstoles, capítulos 15 al 21. (Tachar cada número al leer el capítulo correspondiente.)
2. *Para Aprender: Gálatas 2:20.* Con Cristo estoy juntamente crucificado, y ya no vivo yo, mas vive Cristo en mí; y lo que ahora vivo en la carne, lo vivo en la fe del Hijo de Dios, el cual me amó y se entregó a sí mismo por mí.
3. *Para Hacer:* Visitar nuevamente a las dos personas por cuya salvación está orando. Invítelas nuevamente a acompañarle para escuchar la predicación del evangelio. Compre y obséquieles sendos ejemplares del Evangelio de Juan. Estos se pueden obtener del maestro. (Si usted no puede conseguir otros ejemplares, puede prestar el que usted recibió.) Léales *Juan 10:1-10* y dígales que Dios les ama y desea que tengan una vida abundante, y que leyendo este Evangelio podrán hallar para sí el secreto de una vida tan hermosa.

PREGUNTAS PARA CONTESTAR

Nuestra salvación del pecado es una obra de Dios que presenta tres aspectos: (1) fuimos salvados de la *pena* del pecado (*justificación*); (2) estamos siendo salvados del *poder* del pecado (*santificación*); y (3) seremos salvados de la *presencia* del pecado (*glorificación*). De la totalidad de esta obra divina podemos decir con Pablo que "estamos persuadidos de esto, que el que comenzó en vosotros la buena obra, la perfeccionará hasta el día de Jesucristo" (*Filipenses 1:6*). En este estudio queremos pensar en el segundo aspecto de nuestra salvación. Queremos saber cómo podemos lograr *la victoria sobre el pecado en la vida diaria.*

1. Según *1 Tesalonicenses 4:3a*, ¿cuál es la voluntad de Dios para nosotros?

2. Según *1 Juan 1:8 y 10* hay dos cosas que el creyente NO puede decir SIN FALTAR A LA VERDAD. ¿Cuáles son?
(1) Que no tiene ____________________ *(1 Juan 1:8).*
(2) Que no ha____________________ *(1 Juan 1:10).*
Es decir, tenemos que reconocer que aún siendo hijos de Dios por la fe en Jesucristo, conservamos una naturaleza que nos inclina para lo malo, y que a veces cedemos a ella y cometemos pecado.
3. En *1 Corintios 10:13* se nos dice que cuando somos tentados, Dios es fiel para hacer dos cosas:
(1) No os dejará____________________
(2) Sino que dará también ____________________
4. ¿Qué se le promete en *Santiago 1:12* al hombre que soporta la tentación?
Que recibirá ____________________
5. ¿Qué promesa encontramos en *Santiago 4:7*?
Que si resistimos al diablo, ____________________
6. Según *1 Pedro 5:9a*, ¿cómo debemos resistir al diablo?
En la ____________________
7. No debemos exponernos adrede a la tentación. Las Escrituras dicen que hay ciertas cosas de las cuales debemos de huir. ¿Cuáles son según las citas que siguen?
(1) *1 Corintios 6:18* ____________________
(2) *1 Corintios 10:14* ____________________
(3) *1 Timoteo 6:9-11* ____________________
(4) *2 Timoteo 2:22* ____________________
8. ¿Qué ordenó Cristo que hicieran sus discípulos para no entrar en tentación, según *Mateo 26:41*?
____________________ y ____________________
9. En *Mateo 4:4, 7 y 10* encontramos el arma que Cristo mismo utilizó para vencer la tentación. ¿Cuál fue?
____

Pero si con presunción nos exponemos adrede a la tentación, o *si descuidamos la oración* y *la meditación en la Palabra de Dios*, no tardaremos en caer en pecado.

10. Cuando pecamos, ¿qué debemos hacer, según *1 Juan 1:9*?
____
11. Cuando confesamos nuestros pecados, ¿qué promete Dios hacer, según *1 Juan 1:9*?
(1)____________________ nuestros pecados. Y
(2)____________________ de toda maldad.
El pecado interrumpe nuestra comunión con Dios y nos expone a su disciplina paternal (*Hebreos 12:6-11*). Somos

¿ME PERMITE
UN MOMENTO
DE SU TIEMPO?

¿Ha descubierto usted el secreto —el secreto de una vida feliz? ¿O habrá algo que falte en lo más profundo de su ser, algún vacío que usted no ha podido llenar? ¿Quisiera encontrar la solución de su problema?

Las siguientes líneas tienen el propósito de ayudarle. Su lectura requiere poco tiempo y le dará a conocer *cinco verdades vitales,* verdades cuya comprensión le abrirá el camino a una vida que vale la pena vivirse.

La primera es LA VERDAD DEL AMOR. *Dios le ama y desea que usted tenga una vida abundante.* Jesucristo mismo afirmó esta verdad. En una célebre plática, sostenida con un prominente catedrático de su día, la expresó en estas palabras:

> "Porque de tal manera amó Dios al mundo, que ha dado a su Hijo unigénito, para que todo aquel que en él cree, no se pierda, mas tenga vida eterna"—Juan 3:16.

De esta declaración se desprenden tres consideraciones, a saber: la universalidad, la intensidad y la finalidad del amor divino.

El amor de Dios es universal en su alcance. "Amó Dios al mundo", sin excluir a nadie. Dios no tiene favoritos, sino que incluye a todos en el infinito abrazo de su buena voluntad. Además, su pasión por el mundo es extremadamente intensa. "De tal manera amó .. . que ha dado a su Hijo unigénito". No simplemente *dice* que nos ama; lo ha comprobado en una forma que no deja lugar a dudas: por el sacrificio del Hijo de su amor. En la Cruz se hace patente cuánto nos ama nuestro Padre celestial. Y la finalidad, o sea el propósito, de su entrañable afecto es que cada uno de nosotros tenga "vida eterna".

Pero ¿qué cosa es "vida eterna"? Es mucho más que una simple existencia interminable; es una nueva clase de vida que se empieza a disfrutar aquí mismo en la tierra y que perdura por toda la eternidad. En una palabra, "vida eterna" es la "vida abundante" de la cual habló Cristo cuando dijo:

> "Yo he venido para que tengan vida, y para que la tengan en abundancia" —Juan 10:10b.

Lo que el amor de Dios le ofrece es una vida abundante —abundante en gozo, en paz, pureza, en poder y seguridad. No es el deseo divino que arrastre usted una existencia miserable de amargura, inquietud, derrota moral e inseguridad.

Tal vez lo dicho hasta aquí hace surgir en su mente una pregunta perturbadora. Si Dios me ama tanto y desea que yo tenga una vida abundante, ¿por qué no la tengo? ¿Por qué será que mi vida carece de gozo, de paz, de pureza, de poder y de seguridad? La respuesta se encuentra en la segunda verdad vital, o sea LA VERDAD DEL PECADO. *El pecado le separa de Dios y le priva de la vida abun-*

dante. Es el apóstol Pablo quien nos formula esta verdad en su carta a los creyentes de Roma.

> "Porque no hay diferencia, por cuanto todos pecaron, y están destituidos de la gloria de Dios"—Romanos 3:22b-23.

"*Todos* pecaron", dice Pablo. ¡Qué fuerte es esta palabrita "todos"! Me incluye a mí—y también a usted, ¿verdad? ¡Sí! El pecado es una experiencia universal. Pero esto no es todo lo que el texto afirma; también nos hace ver cuál es la consecuencia de nuestro pecado: nos ha destituido de la gloria de Dios.

Según el Diccionario de la Real Academia, la voz "destituir" significa "privar a uno de alguna cosa; separar a uno de su cargo como corrección o castigo". Esto es precisamente lo que ha hecho nuestro pecado: nos ha separado de Dios y nos ha privado de la vida abundante que él desea que tengamos.

Por esta razón nuestra vida carece de gloria. Y como si esto no fuera suficiente, nos advierte además el apóstol que si persistimos en nuestro pecado nos espera algo todavía peor:

> "Porque la paga del pecado es muerte"—Romanos 6:23a.

¡Qué cosa tan tremenda es el pecado! Podríamos decir que ha cavado un abismo profundo y ancho que nos mantiene alejados de Dios y de la vida eterna y abundante que él nos quiere dar. Separándonos de Dios, nos priva de gloria en esta vida, y de esperanza en la venidera.

¿No habrá remedio para esta condición? ¡Gracias a Dios que lo hay! Se halla expresado en LA VERDAD DEL SUBSTITUTO. *Jesucristo tomó el lugar de usted en la cruz y pagó el precio completo de su salvación, haciendo posible que usted vuelva a Dios.* De los muchos textos bíblicos que enseñan esta verdad daremos sólo uno:

> "Mas Dios muestra su amor para con nosotros, en que siendo aún pecadores, Cristo murió por nosotros"—Romanos 5:8.

A pesar de nuestro pecado nos sigue amando el Padre Celestial. La suprema demostración de su amor la tenemos en el envío de su Hijo al mundo para actuar como nuestro SUBSTITUTO. Dejando la gloria del cielo, tomó nuestra naturaleza humana al nacer de la virgen María. Durante treinta y tres años vivió en este mundo como hombre, sujeto a las mismas tentaciones que nosotros, pero jamás pecó. Luego, habiendo triunfado sobre todos los ataques del maligno, se echó a cuestas nuestras culpas y sufrió por nosotros el castigo que justamente merecieron nuestros pecados. Lo sepultaron, pero al tercer día resucitó. Después de cuarenta días, en que se apareció varias veces a los suyos para comprobar la realidad de su resurrección, ascendió otra vez al cielo donde está intercediendo ahora por todos los que en él confían. Desde allí vendrá algún día en gloria inefable para resucitar a los muertos, juzgar al mundo e inaugurar su reino eterno de justicia y de paz.

De esta manera el Señor Jesucristo ha hecho el puente que pasa por encima del grande abismo creado por nuestro pecado y que nos tiene separados de Dios. Como él mismo decía:

> "Yo soy el camino, y la verdad, y la vida; nadie viene al Padre, sino por mí"—Juan 14:6.

Habiendo, pues, un camino por el cual uno puede volver a estar en comunión con Dios, ¿qué hay que hacer para aprovecharlo? La respuesta tiene dos partes. La primera parte se halla expuesta en LA VERDAD DEL ARREPENTIMIENTO. *Para poder volver a Dios, necesita usted arrepentirse de sus pecados.* Quizá la expresión más clara de esta verdad fue dada por el apóstol Pedro cuando en uno de sus sermones dijo:

> "Así que, arrepentíos y convertíos, para que sean borrados vuestros pecados"—Hechos 3:19a.

"Arrepentirse" significa dar media vuelta para poder caminar en la dirección opuesta. Por naturaleza (y por voluntad también) usted y yo andamos por el camino del pecado. Por este camino no nos vamos a encontrar con Dios nunca, porque Dios no es pecador. Si queremos volver a estar en comunión con nuestro Padre celestial, tenemos que dar la media vuelta; tenemos que arrepentirnos de

¿ME PERMITE
UN MOMENTO
DE SU TIEMPO?

¿Ha descubierto usted el secreto —el secreto de una vida feliz? ¿O habrá algo que falte en lo más profundo de su ser, algún vacío que usted no ha podido llenar? ¿Quisiera encontrar la solución de su problema?

Las siguientes líneas tienen el propósito de ayudarle. Su lectura requiere poco tiempo y le dará a conocer *cinco verdades vitales,* verdades cuya comprensión le abrirá el camino a una vida que vale la pena vivirse.

La primera es LA VERDAD DEL AMOR. *Dios le ama y desea que usted tenga una vida abundante.* Jesucristo mismo afirmó esta verdad. En una célebre plática, sostenida con un prominente catedrático de su día, la expresó en estas palabras:

> "Porque de tal manera amó Dios al mundo, que ha dado a su Hijo unigénito, para que todo aquel que en él cree, no se pierda, mas tenga vida eterna"—Juan 3:16.

De esta declaración se desprenden tres consideraciones, a saber: la universalidad, la intensidad y la finalidad del amor divino.

El amor de Dios es universal en su alcance. "Amó Dios al mundo", sin excluir a nadie. Dios no tiene favoritos, sino que incluye a todos en el infinito abrazo de su buena voluntad. Además, su pasión por el mundo es extremadamente intensa. "De tal manera amó .. . que ha dado a su Hijo unigénito". No simplemente *dice* que nos ama; lo ha comprobado en una forma que no deja lugar a dudas: por el sacrificio del Hijo de su amor. En la Cruz se hace patente cuánto nos ama nuestro Padre celestial. Y la finalidad, o sea el propósito, de su entrañable afecto es que cada uno de nosotros tenga "vida eterna".

Pero ¿qué cosa es "vida eterna"? Es mucho más que una simple existencia interminable; es una nueva clase de vida que se empieza a disfrutar aquí mismo en la tierra y que perdura por toda la eternidad. En una palabra, "vida eterna" es la "vida abundante" de la cual habló Cristo cuando dijo:

> "Yo he venido para que tengan vida, y para que la tengan en abundancia" —Juan 10:10b.

Lo que el amor de Dios le ofrece es una vida abundante —abundante en gozo, en paz, pureza, en poder y seguridad. No es el deseo divino que arrastre usted una existencia miserable de amargura, inquietud, derrota moral e inseguridad.

Tal vez lo dicho hasta aquí hace surgir en su mente una pregunta perturbadora. Si Dios me ama tanto y desea que yo tenga una vida abundante, ¿por qué no la tengo? ¿Por qué será que mi vida carece de gozo, de paz, de pureza, de poder y de seguridad? La respuesta se encuentra en la segunda verdad vital, o sea LA VERDAD DEL PECADO. *El pecado le separa de Dios y le priva de la vida abun-*

dante. Es el apóstol Pablo quien nos formula esta verdad en su carta a los creyentes de Roma.

> "Porque no hay diferencia, por cuanto todos pecaron, y están destituidos de la gloria de Dios"—Romanos 3:22b-23.

"*Todos* pecaron", dice Pablo. ¡Qué fuerte es esta palabrita "todos"! Me incluye a mí—y también a usted, ¿verdad? ¡Sí! El pecado es una experiencia universal. Pero esto no es todo lo que el texto afirma; también nos hace ver cuál es la consecuencia de nuestro pecado: nos ha destituido de la gloria de Dios.

Según el Diccionario de la Real Academia, la voz "destituir" significa "privar a uno de alguna cosa; separar a uno de su cargo como corrección o castigo". Esto es precisamente lo que ha hecho nuestro pecado: nos ha separado de Dios y nos ha privado de la vida abundante que él desea que tengamos.

Por esta razón nuestra vida carece de gloria. Y como si esto no fuera suficiente, nos advierte además el apóstol que si persistimos en nuestro pecado nos espera algo todavía peor:

> "Porque la paga del pecado es muerte"—Romanos 6:23a.

¡Qué cosa tan tremenda es el pecado! Podríamos decir que ha cavado un abismo profundo y ancho que nos mantiene alejados de Dios y de la vida eterna y abundante que él nos quiere dar. Separándonos de Dios, nos priva de gloria en esta vida, y de esperanza en la venidera.

¿No habrá remedio para esta condición? ¡Gracias a Dios que lo hay! Se halla expresado en LA VERDAD DEL SUBSTITUTO. *Jesucristo tomó el lugar de usted en la cruz y pagó el precio completo de su salvación, haciendo posible que usted vuelva a Dios.* De los muchos textos bíblicos que enseñan esta verdad daremos sólo uno:

> "Mas Dios muestra su amor para con nosotros, en que siendo aún pecadores, Cristo murió por nosotros"—Romanos 5:8.

A pesar de nuestro pecado nos sigue amando el Padre Celestial. La suprema demostración de su amor la tenemos en el envío de su Hijo al mundo para actuar como nuestro SUBSTITUTO. Dejando la gloria del cielo, tomó nuestra naturaleza humana al nacer de la virgen María. Durante treinta y tres años vivió en este mundo como hombre, sujeto a las mismas tentaciones que nosotros, pero jamás pecó. Luego, habiendo triunfado sobre todos los ataques del maligno, se echó a cuestas nuestras culpas y sufrió por nosotros el castigo que justamente merecieron nuestros pecados. Lo sepultaron, pero al tercer día resucitó. Después de cuarenta días, en que se apareció varias veces a los suyos para comprobar la realidad de su resurrección, ascendió otra vez al cielo donde está intercediendo ahora por todos los que en él confían. Desde allí vendrá algún día en gloria inefable para resucitar a los muertos, juzgar al mundo e inaugurar su reino eterno de justicia y de paz.

De esta manera el Señor Jesucristo ha hecho el puente que pasa por encima del grande abismo creado por nuestro pecado y que nos tiene separados de Dios. Como él mismo decía:

> "Yo soy el camino, y la verdad, y la vida; nadie viene al Padre, sino por mí"—Juan 14:6.

Habiendo, pues, un camino por el cual uno puede volver a estar en comunión con Dios, ¿qué hay que hacer para aprovecharlo? La respuesta tiene dos partes. La primera parte se halla expuesta en LA VERDAD DEL ARREPENTIMIENTO. *Para poder volver a Dios, necesita usted arrepentirse de sus pecados.* Quizá la expresión más clara de esta verdad fue dada por el apóstol Pedro cuando en uno de sus sermones dijo:

> "Así que, arrepentíos y convertíos, para que sean borrados vuestros pecados"—Hechos 3:19a.

"Arrepentirse" significa dar media vuelta para poder caminar en la dirección opuesta. Por naturaleza (y por voluntad también) usted y yo andamos por el camino del pecado. Por este camino no nos vamos a encontrar con Dios nunca, porque Dios no es pecador. Si queremos volver a estar en comunión con nuestro Padre celestial, tenemos que dar la media vuelta; tenemos que arrepentirnos de

Nombre ______________________________

LECCION 5 – EL ESPIRITU SANTO – NUESTRO AYUDADOR

Al empezar esta lección se debe dar al alumno la oportunidad de decir algo acerca de los nombres dados en la página 4-4, como también algo de las direcciones. Si llegan a ser personas que viven muy distantes pedirle al alumno que piense y ore por algunos que viven más cerca para luego poder trabajar con ellos. Aquí también van dos folletos más que serán entregados a esas dos personas.

[8] [9] [10] [11] [12] [13] [14]

TAREAS. Se realizarán durante la semana.

1. *Para Leer:* Hechos de los Apóstoles, capítulos 8 al 14 (Tachar cada número al leer el capítulo correspondiente.)
2. *Para Aprender: Efesios 5:18* – No os embriaguéis con vino, en lo cual hay disolución; antes bien sed llenos del Espíritu.
3. *Para Hacer:* Visitar a las dos personas por cuya salvación está orando para invitarles a acompañarle a un culto de predicación para que escuchen el evangelio. Obsequie a cada uno de ellos uno de los dos folletos que se adjuntan.

PREGUNTAS PARA CONTESTAR

La noche antes de su crucifixión, Cristo prometió a sus discípulos que no les dejaría huérfanos, sino que vendría a ellos *(Juan 14:18).* Aclaró que "vendría a ellos" por medio de "otro Consolador a quien el Padre enviaría en su nombre" *(Juan 14:26).* A este "otro Consolador" le llamó también "el Espíritu de verdad" *(Juan 14:17; 15:26; 16:13)* y "el Espíritu Santo" *(Juan 14:26).* El día de Pentecostés *(Hechos 2:1-41)* fue cumplida la promesa del Señor y el Espíritu Santo vino a la iglesia —a todos los creyentes— y desde esa fecha está en todo hijo de Dios y en toda congregación cristiana como el DIVINO AYUDADOR. Es de suma importancia, pues, que entendamos bien cuál es nuestra relación con el Santo Espíritu de Dios.

1. ¿Quién nos convence de pecado, según *Juan 16:7, 8?*

   ____

2. ¿Quién nos habilita para poder llamar a Jesús SEÑOR de nuestras vidas, según *1 Corintios 12:3?*

   ____

3. De acuerdo con *Juan 3:8*, el individuo que ha comenzado la vida cristiana es descrito como aquél que es nacido del

____

4. Porque somos hijos, ¿a quién envió Dios a nuestros corazones, según *Gálatas 4:6?*

____

5. *De acuerdo con Romanos 8:9,* ¿cuál es la posesión de todo creyente en Cristo?

____

6. ¿Qué hemos recibido todos los creyentes en Cristo, según *Romanos 8:15?* ___________________________

7. *1 Corintios 6:19* nos dice dos cosas importantes acerca del Espíritu Santo:
(1) Que nuestro cuerpo físico es ___________________ del Espíritu Santo.
(2) Que el Espíritu Santo está _______________ nosotros.

8. *Efesios 1:13* nos dice que cuando creímos en Cristo todos fuimos ________________________ con el Espíritu Santo de la promesa.

9. *Efesios 1:14* indica que el Espíritu Santo es las ______ de nuestra herencia.

5-2

10. Según *Romanos 8:23* tenemos también, como creyentes ___________________________ del Espíritu.

11. *1 Corintios 12:7* enseña que "a cada uno", es decir, a cada creyente en Cristo, le es dada ¿qué cosa?____________

____

Los pasajes consultados hasta aquí revelan que cada creyente sostiene YA una séptuple relación con el Espíritu Santo: (1) El Espíritu le *convenció* de que era pecador; (2) El Espíritu le *convirtió*, es decir, le capacitó para desocupar el trono de su vida y hacer de Jesús su SEÑOR; (3) El Espíritu le dio *nueva vida*, le hizo "nacer de nuevo"; (4) El Espíritu entró en él para *morar perpetuamente;* (5) El Espíritu le *selló*, identificándole como hijo de Dios y garantizando la seguridad de su salvación; (6) El Espíritu le dio "las arras" o sean "*las primicias*" de su herencia —anticipo de sus futuras glorias; y (7) El Espíritu *le dotó* con alguna capacidad —con algún don espiritual— para poder servir en la iglesia y en el mundo (vea *1 Pedro 4:10* y *1 Corintios 7:7).*

12. ¿Qué se nos manda en *Efesios 5:18b?*

____

13. De acuerdo con los siguientes diez pasajes del libro de los Hechos, ¿cómo podríamos describir a los creyentes del

Nombre ____

LECCION 4 – EL HOGAR DEL CREYENTE – LA IGLESIA LOCAL

Al comenzar esta lección será bueno repasar las CINCO VERDADES VITALES de la página 3-4. Dar cinco folletos evangelísticos para repartir.

TAREAS. Se realizarán durante la semana.

1. *Para Leer:* Hechos de los Apóstoles, capítulos 1 al 7
   No olvide tachar cada número al leer el capítulo correspondiente. Además, para obtener el mayor provecho posible de sus lecturas bíblicas, procure siempre encontrar en el pasaje lo siguiente (durante su CITA CON DIOS): [1][2][3][4][5][6][7]
   (1) un MANDAMIENTO que obedecer;
   (2) un EJEMPLO que seguir;
   (3) una PROMESA que creer;
   (4) un PECADO que evitar; y
   (5) una ENSEÑANZA acerca de Dios.
2. *Para Aprender: Hebreos 10:23-25.* 23 – Mantengamos firme, sin fluctuar, la profesión de nuestra esperanza, porque fiel es el que prometió. 24 – Y considerémonos unos a otros para estimularnos al amor y a las buenas obras; 25 – no dejando de reunirnos, como algunos tienen por costumbre, sino exhortándonos; y tanto más, cuanto veis que aquel día se acerca.
3. *Para Hacer:* Pensar en dos personas que viven cerca de usted a quienes quisiera ayudar para que tengan la experiencia personal del nuevo nacimiento. Empiece a orar diariamente por ellas, pidiendo *que el Espíritu de Dios les haga comprender su necesidad espiritual.*

PREGUNTAS PARA CONTESTAR

En la segunda lección vimos que nuestro desarrollo espiritual demanda dos cosas: un APRENDIZAJE y un AMBIENTE. Ya hemos considerado cómo necesitamos aprender a *alimentarnos* de la Palabra de Dios; a *hablar* con nuestro Padre celestial en oración; a *caminar* en obediencia a los mandamientos de Dios; y a *compartir* nuestro testimonio con otros. Ahora vamos a pensar en el AMBIENTE que precisamos como ayuda indispensable para poder "crecer en la gracia y el conocimiento de nuestro Señor y Salvador Jesucristo" (*2 Pedro 3:18*).

1. El Nuevo Testamento habla de los creyentes como "una familia"
   (1) ¿Cómo es designada esta familia en *Efesios 2:19*?
   La familia de ____________________
   (2) ¿Qué nombre da *Gálatas 6:10* a esta familia?
   La familia de ____________________
   (3) Según *2 Corintios 6:18*, ¿cuál es la relación que Dios sostiene con nosotros?
   Dios es nuestro ____________________
   (4) En *Romanos 8:29* el Hijo (Jesucristo) es llamado: El primogénito entre muchos ____________________
2. Según *1 Juan 3:14*, ¿cómo podemos saber si somos salvos?
   ____
3. De acuerdo con *Juan 13:35*, ¿cómo sabrá el mundo que somos discípulos de Cristo?
   ____
   ____
4. El Nuevo Testamento habla de los creyentes como "un cuerpo en Cristo". Como tal, "somos todos miembros los unos de los otros" (*Romanos 12:5*) y debemos preocuparnos los unos por los otros (*1 Corintios 12:25*). De acuerdo con las siguientes citas. ¿qué es lo que debemos hacer los unos por los otros?

4-2

   (1) *1 Pedro 1:22* ____________________
   (2) *1 Tesalonicenses 4:18* ____________________
   ____
   (3) *Gálatas 6:2* ____________________
   (4) *Colosenses 3:16* ____________________
   (5) *Hebreos 3:13* ____________________
   (6) *Hebreos 10:24* ____________________
   ____
   (7) *Santiago 5:16* ____________________
   ____

Es instructivo observar que aunque el Nuevo Testamento designa a los creyentes no menos de 62 veces como "santos" (plural), *nunca* habla de un creyente particular como "un santo" (singular). Esto constituye una fuerte indicación de que *la vida cristiana tiene que vivirse en comunidad.* Esto es precisamente lo que encontramos en la práctica de los creyentes del Nuevo Testamento.

¿ME PERMITE
UN MOMENTO
DE SU TIEMPO?

¿Ha descubierto usted el secreto —el secreto de una vida feliz? ¿O habrá algo que falte en lo más profundo de su ser, algún vacío que usted no ha podido llenar? ¿Quisiera encontrar la solución de su problema?

Las siguientes líneas tienen el propósito de ayudarle. Su lectura requiere poco tiempo y le dará a conocer *cinco verdades vitales,* verdades cuya comprensión le abrirá el camino a una vida que vale la pena vivirse.

La primera es LA VERDAD DEL AMOR. *Dios le ama y desea que usted tenga una vida abundante.* Jesucristo mismo afirmó esta verdad. En una célebre plática, sostenida con un prominente catedrático de su día, la expresó en estas palabras:

> "Porque de tal manera amó Dios al mundo, que ha dado a su Hijo unigénito, para que todo aquel que en él cree, no se pierda, mas tenga vida eterna"—Juan 3:16.

De esta declaración se desprenden tres consideraciones, a saber: la universalidad, la intensidad y la finalidad del amor divino.

El amor de Dios es universal en su alcance. "Amó Dios al mundo", sin excluir a nadie. Dios no tiene favoritos, sino que incluye a todos en el infinito abrazo de su buena voluntad. Además, su pasión por el mundo es extremadamente intensa. "De tal manera amó .. . que ha dado a su Hijo unigénito". No simplemente *dice* que nos ama; lo ha comprobado en una forma que no deja lugar a dudas: por el sacrificio del Hijo de su amor. En la Cruz se hace patente cuánto nos ama nuestro Padre celestial. Y la finalidad, o sea el propósito, de su entrañable afecto es que cada uno de nosotros tenga "vida eterna".

Pero ¿qué cosa es "vida eterna"? Es mucho más que una simple existencia interminable; es una nueva clase de vida que se empieza a disfrutar aquí mismo en la tierra y que perdura por toda la eternidad. En una palabra, "vida eterna" es la "vida abundante" de la cual habló Cristo cuando dijo:

> "Yo he venido para que tengan vida, y para que la tengan en abundancia" —Juan 10:10b.

Lo que el amor de Dios le ofrece es una vida abundante —abundante en gozo, en paz, pureza, en poder y seguridad. No es el deseo divino que arrastre usted una existencia miserable de amargura, inquietud, derrota moral e inseguridad.

Tal vez lo dicho hasta aquí hace surgir en su mente una pregunta perturbadora. Si Dios me ama tanto y desea que yo tenga una vida abundante, ¿por qué no la tengo? ¿Por qué será que mi vida carece de gozo, de paz, de pureza, de poder y de seguridad? La respuesta se encuentra en la segunda verdad vital, o sea LA VERDAD DEL PECADO. *El pecado le separa de Dios y le priva de la vida abun-*

dante. Es el apóstol Pablo quien nos formula esta verdad en su carta a los creyentes de Roma.

> "Porque no hay diferencia, por cuanto todos pecaron, y están destituidos de la gloria de Dios"—Romanos 3:22b-23.

"*Todos* pecaron", dice Pablo. ¡Qué fuerte es esta palabrita "todos"! Me incluye a mí—y también a usted, ¿verdad? ¡Sí! El pecado es una experiencia universal. Pero esto no es todo lo que el texto afirma; también nos hace ver cuál es la consecuencia de nuestro pecado: nos ha destituido de la gloria de Dios.

Según el Diccionario de la Real Academia, la voz "destituir" significa "privar a uno de alguna cosa; separar a uno de su cargo como corrección o castigo". Esto es precisamente lo que ha hecho nuestro pecado: nos ha separado de Dios y nos ha privado de la vida abundante que él desea que tengamos.

Por esta razón nuestra vida carece de gloria. Y como si esto no fuera suficiente, nos advierte además el apóstol que si persistimos en nuestro pecado nos espera algo todavía peor:

> "Porque la paga del pecado es muerte"—Romanos 6:23a.

¡Qué cosa tan tremenda es el pecado! Podríamos decir que ha cavado un abismo profundo y ancho que nos mantiene alejados de Dios y de la vida eterna y abundante que él nos quiere dar. Separándonos de Dios, nos priva de gloria en esta vida, y de esperanza en la venidera.

¿No habrá remedio para esta condición? ¡Gracias a Dios que lo hay! Se halla expresado en LA VERDAD DEL SUBSTITUTO. *Jesucristo tomó el lugar de usted en la cruz y pagó el precio completo de su salvación, haciendo posible que usted vuelva a Dios.* De los muchos textos bíblicos que enseñan esta verdad daremos sólo uno:

> "Mas Dios muestra su amor para con nosotros, en que siendo aún pecadores, Cristo murió por nosotros"—Romanos 5:8.

A pesar de nuestro pecado nos sigue amando el Padre Celestial. La suprema demostración de su amor la tenemos en el envío de su Hijo al mundo para actuar como nuestro SUBSTITUTO. Dejando la gloria del cielo, tomó nuestra naturaleza humana al nacer de la virgen María. Durante treinta y tres años vivió en este mundo como hombre, sujeto a las mismas tentaciones que nosotros, pero jamás pecó. Luego, habiendo triunfado sobre todos los ataques del maligno, se echó a cuestas nuestras culpas y sufrió por nosotros el castigo que justamente merecieron nuestros pecados. Lo sepultaron, pero al tercer día resucitó. Después de cuarenta días, en que se apareció varias veces a los suyos para comprobar la realidad de su resurrección, ascendió otra vez al cielo donde está intercediendo ahora por todos los que en él confían. Desde allí vendrá algún día en gloria inefable para resucitar a los muertos, juzgar al mundo e inaugurar su reino eterno de justicia y de paz.

De esta manera el Señor Jesucristo ha hecho el puente que pasa por encima del grande abismo creado por nuestro pecado y que nos tiene separados de Dios. Como él mismo decía:

> "Yo soy el camino, y la verdad, y la vida; nadie viene al Padre, sino por mí"—Juan 14:6.

Habiendo, pues, un camino por el cual uno puede volver a estar en comunión con Dios, ¿qué hay que hacer para aprovecharlo? La respuesta tiene dos partes. La primera parte se halla expuesta en LA VERDAD DEL ARREPENTIMIENTO. *Para poder volver a Dios, necesita usted arrepentirse de sus pecados.* Quizá la expresión más clara de esta verdad fue dada por el apóstol Pedro cuando en uno de sus sermones dijo:

> "Así que, arrepentíos y convertíos, para que sean borrados vuestros pecados"—Hechos 3:19a.

"Arrepentirse" significa dar media vuelta para poder caminar en la dirección opuesta. Por naturaleza (y por voluntad también) usted y yo andamos por el camino del pecado. Por este camino no nos vamos a encontrar con Dios nunca, porque Dios no es pecador. Si queremos volver a estar en comunión con nuestro Padre celestial, tenemos que dar la media vuelta; tenemos que arrepentirnos de

Nombre ______________________________

LECCION 3 – COMO CRECER EN LA VIDA CRISTIANA (2a. Parte)

Con esta lección va el folleto "¿Me Permite un Momento de Su Tiempo?" También debe llevar cinco folletos más para repartir en la semana. Preguntar cómo le fue al repartir los folletos.

TAREAS. Se realizan durante la semana.

1. *Para Leer:* Evangelio de Juan, capítulos 15 al 21. [15] [16]
(No olvide marcar cada capítulo que se lee.) [17] [18] [19] [20] [21]

2. *Para Aprender: Juan 14:21* – El que tiene mis mandamientos, y los guarda, ése es el que me ama; y el que me ama, será amado por mi Padre.
Lucas 8:39 – Vuélvete a tu casa, y cuenta cuán grandes cosas ha hecho Dios contigo. Y él se fue, publicando por toda la ciudad cuán grandes cosas había hecho Jesús con él.

3. *Para Hacer:* Leer el folleto "¿Me Permite un Momento de Su Tiempo?" luego enviarlo en una *carta* que escriba a algún pariente o amigo no creyente. Ore porque Dios bendiga el mensaje para bien de la persona a quien se envíe.
(La carta en que el folleto se envíe no tiene que discutir la cuestión religiosa. Puede ser una simple carta amistosa o de familia que lleva el folleto dentro del sobre sin ningún comentario especial. Por otra parte, si usted así lo desea, podrá referirse al folleto en el texto de la carta por medio de un breve párrafo como el siguiente: (Cópielo en su carta si desea.)
"Hace poco, tuve una maravillosa experiencia. Recibí por fe a Cristo como Señor y Salvador de mi vida. Ahora tengo paz y gozo en el corazón. El folleto que adjunto le explicará el secreto de este cambio en mi ser. Le ruego que lo lea con atención.")

PREGUNTAS PARA CONTESTAR

En la 2a. lección vimos que nuestro crecimiento cristiano exige que aprendamos a ALIMENTARNOS de la Palabra de Dios y a HABLAR con nuestro Padre celestial en oración. Ahora vamos a pensar en nuestra necesidad de aprender a CAMINAR en obediencia a la voluntad de Dios y a COMPARTIR con otros nuestro testimonio. Las doce citas que siguen hablan de nuestro "andar cristiano", o sea, de nuestra manera de vivir. Cada cita contesta, en efecto, la pregunta: *¿COMO DEBE ANDAR EL CREYENTE?* En el espacio dejado en blanco después de cada cita, ponga usted la manera en que debemos de "andar" según esa cita particular. (Por vía de ilustración, la primera ya está contestada.)

1. *Romanos 6:4b* En vida nueva
2. *2 Corintios 5:7* ______
3. *Gálatas 5:25* ______
4. *Efesios 4:1* ______
   ______
5. *Efesios 5:2* ______
6. *Colosenses 1:10* ______
   ______
7. *Colosenses 4:5* ______
8. *1 Tesalonicenses 2:12* ______
   ______
9. *2 Pedro 3:11* ______
   ______
10. *1 Juan 2:6* ______
11. *3 Juan 4* ______

3-2

12. *2 Juan 6* ______
13. ¿Qué dice *1 Juan 5:3b* acerca de los mandamientos divinos?
    Que no son ______
14. ¿Qué bendición promete Cristo en *Juan 14:21* al que guarda sus mandamientos?
    (1) Será ______
    (2) Y yo ______
    (3) Y me ______
15. ¿Qué bendición promete Cristo a los que guardan sus mandamientos en *Juan 15:10a?*
    ______
16. ¿Quiénes son los amigos de Cristo según *Juan 15:14?*
    ______
17. ¿Cómo se prueba nuestro amor al Señor (*Juan 14:15*)?
    ______
18. ¿Qué relación existe entre nuestra obediencia a los mandamientos de Dios y su contestación a nuestras oraciones, según *1 Juan 3:22?*
    ______
    ______

Nombre: ______________________________

LECCION 2 – COMO CRECER EN LA VIDA CRISTIANA (1a. Parte)

Para el resto del estudio de este curso hará falta el Nuevo Testamento: ya sea regalado, prestado o comprado. Con esta lección se le da cinco folletos sellados para repartir.

TAREAS. Se realizarán durante la semana.

1. *Para Leer:* Evangelio de Juan, capítulos 8 al 14.
Tenga una CITA CON DIOS diariamente. [8] [9] [10] [11] [12] [13] [14]
(Escoja un tiempo conveniente – de preferencia temprano en la mañana– y un lugar donde pueda estar a solas. Empiece con una breve oración, pidiendo encontrar en la lectura algo que le ayude a vivir mejor. Luego lea atentamente el capítulo del día. Termine con otra oración, dando gracias por bendiciones recibidas, confesando sus pecados y pidiendo por las necesidades de otros y por las suyas propias. Procure dedicar de diez a quince minutos diarios a esta CITA CON DIOS. Después de leer el capítulo designado táchese el número correspondiente.)

2. *Para Aprender: Juan 16:24* – Hasta ahora nada habéis pedido en mi nombre; pedid, y recibiréis, para que vuestro gozo sea cumplido.
Mateo 4:4 – El respondió y dijo: Escrito está: No sólo de pan vivirá el hombre, sino de toda palabra que sale de la boca de Dios.

3. *Para Hacer:* Dar los cinco folletos a cinco personas no creyentes, cercanas a su domicilio, su trabajo, o iglesia.
(Antes de repartir un folleto siempre debemos hacer dos cosas: (1) *leerlo* para estar seguros de entender y de estar de acuerdo con su mensaje; y (2) *orar*, pidiendo que Dios bendiga el testimonio.)
(Dígale que al entregar la lección 3 se le pedirá testimonios de las experiencias tenidas al repartir los folletos.)

PREGUNTAS PARA CONTESTAR

1. ¿Ya cumplió usted con las dos tareas indicadas en la primera lección? (La lectura bíblica y el versículo de memoria.)
¿Sí o no? ______________________________
2. Escriba el versículo de memoria *Juan 5:24.* ______________
____
____

3. En *2 Pedro 3:18*, ¿qué se nos manda hacer?________

____

4. ¿Qué ejemplo nos da el Señor Jesús en *Lucas 2:52?* __

____

5. ¿Qué pedía Pablo para los nuevos creyentes en *1 Tesalonicenses 3:12?*

____

____

6. ¿Cuál es la medida del crecimiento a la cual debe aspirar el creyente? según *Efesios 4:13b* (la letra "b" indica que se refiere solamente a la segunda mitad del versículo).

____

(La palabra "perfecto" en este versículo significa "maduro", como en *1 Corintios 14:20*. Ningún creyente alcanza la perfección en este mundo, pero sí debe progresar continuamente hacia la madurez espiritual. Véanse *1 Corintios 2:6* y *Hebreos 5:14.)*

2-2 En cuando menos cuatro pasajes (*1 Corintios 3:1; Efesios 4:14; Hebreos 5:13 y 1 Pedro 2:2)* el Nuevo Testamento habla de los creyentes nuevos y de los no desarrollados como "niños". Esto sugiere la idea de que existe un paralelo entre los requisitos del crecimiento físico y las demandas de la madurez espiritual. De acuerdo con este paralelo podemos decir que nuestro crecimiento espiritual demanda dos cosas: (1) un aprendizaje y (2) un ambiente.

Para crecer normalmente, cualquier niño tiene que aprender a hacer cuatro cosas: COMER, HABLAR, CAMINAR y COMPARTIR. Lo mismo, en la esfera espiritual, los hijos de Dios tenemos que aprender.

7. Según *Mateo 4:4* el hombre debe vivir, no sólo de___ , sino también de____________________

____

8. *Apocalipsis 1:3* nos dice que es bienaventurado el que ________ y los que ________ la Palabra de Dios.

9. ¿Qué se nos manda hacer en *Juan 5:39?*

____

("Escudriñar" significa "examinar cuidadosamente", o sea, "estudiar".)

10. El *Salmo 119:11* dice: "En mi corazón he guardado tus

Nombre:____

BIENVENIDA AL ESTUDIO DE LA BIBLIA "MI CRECIMIENTO EN CRISTO"

AMADO EN CRISTO JESUS:

¡Bienvenido a la familia de la fe!

No se imagina usted cuán grande es nuestra alegría *por tenerle como nuestro* nuevo alumno *en Cristo. Los mismos ángeles del cielo se gozan cuando uno decide* arrepentirse *de sus pecados para* recibir por fe a Cristo *como el Señor y Salvador de su vida.* Todos *nos unimos con ellos en alabanzas y gratitud a Dios.*

Al invitar a Cristo a estar en el corazón, uno "nace de nuevo". *Luego corresponde* "crecer *en la gracia y el conocimiento de nuestro Señor y Salvador Jesucristo*". *Nuestra* iglesia desea ayudarle en el desarrollo *de su vida espiritual.*

Hemos preparado para usted unos estudios bíblicos *sencillos que le ayudarán grandemente en estos pasos de la vida cristiana. Las* ocho lecciones *podrán ser terminadas fácilmente en unas cuantas semanas, y* al terminarlas, *recibirá usted* un hermoso certificado. *La primera lección de la serie va adjunta a esta carta, y con ella le proveemos un ejemplar del* Evangelio de Juan.

Nos hemos organizado para ayudarle en estos estudios especiales.

Procure contestar las preguntas de esta primera lección de acuerdo con las instrucciones que se dan en la página siguiente, y haga el repaso según se le indique, en privado o en clase.

Mientras tanto, le extendemos una cordial invitación a nuestras clases regulares de estudio bíblico, a los cultos de predicación y a las demás actividades de nuestra iglesia. Le esperamos con el corazón y con los brazos abiertos.

Suyo en el amor de Cristo,

____

(Firma del Pastor o Director del Curso

LECCION 1 – LA SEGURIDAD DE LA SALVACION

Con esta lección se pregunta si el alumno tiene Biblia, o N. T., si no tiene entonces se le provee un Evangelio de Juan, preferentemente prestado.

TAREAS. Se realizarán durante la semana.

1. *Para Leer:* Evangelio de Juan, capítulos 1 al 7.
(Procure leer un capítulo cada día. Después de leerlo táchese el número correspondiente.) [1] [2] [3] [4] [5] [6] [7]

2. *Para Aprender: Juan 5:24* (Juan, capítulo 5, versículo 24). De cierto, de cierto os digo: El que oye mi palabra, y cree al que me envió, tiene vida eterna; y no vendrá a condenación, mas ha pasado de muerte a vida.

PREGUNTAS PARA CONTESTAR

1. Si usted muriera hoy mismo, ¿está seguro de que iría al cielo?
(Ponga un círculo alrededor de la contestación que represente su verdadero pensamiento personal.)
SI NO NO SE

El apóstol Pablo habló mucho de la *seguridad de la salvación*.

1-2

He aquí algunas de sus declaraciones al respecto:

- "Yo *sé* a quién he creído, y estoy *seguro* que es poderoso para guardar mi depósito para aquel día" —*2 Timoteo 1:12*.
- "Porque para mí *el vivir es Cristo*, y el morir es ganancia" — *Filipenses 1:21*.
- "*Sabemos*, pues, que si se destruye nuestro cuerpo, que es como una casa que no dura, *Dios nos tiene preparada una casa eterna* en los cielos, que no fue hecha por manos de hombres" — *2 Corintios 5:1* (Versión Popular.)

Toda persona que ha recibido a Cristo por fe como su Señor y Salvador puede tener esta misma seguridad. El propósito de este primer estudio es el de ayudarle a usted a *comprender las bases de la seguridad cristiana*.

(La mayoría de las preguntas de esta primera lección podrán ser contestadas por la lectura del pasaje del Evangelio de Juan que se cite. Por ejemplo, "*Juan 3:16*" significa el capítulo 3 del Evangelio y el versículo 16 de ese capítulo. Cuando en esta lección la pregunta se refiere a un pasaje fuera del Evangelio de Juan, dicho pasaje se imprime en su totalidad.)

2. Subraye usted la contestación correcta. Según *Juan 3:19-20*, los hombres se condenan:
   (1) porque no lo pueden evitar; (2) porque Dios es injusto; (3) porque aman sus pecados.
3. ¿Cómo describe Cristo al hombre que hace pecado en *Juan 8:34*?
   Que es ______________del ________________
4. Según *Juan 8:24*, ¿qué sucede a las personas que no creen en Jesús?
   ______________ en sus ______________
5. Según *Juan 3:36*, ¿qué sucede a la persona que rehusa creer (o sea, *desobedece*) al Hijo de Dios?
   No verá la ______ , sino que la ______________
   de Dios está sobre él.
6. ¿Quién puede quitar nuestros pecados según *Juan 1:29*?
   ____
7. De acuerdo con *Juan 1:12*, ¿qué palabra significa lo mismo que "creer"?
   ____
8. "Nada que fuese útil he rehuido de anunciaros y enseñaros, públicamente y por las casas, testificando a judíos y a gentiles acerca del *arrepentimiento* para con Dios, y de la *fe* en nuestro Señor Jesucristo" — *Hechos 20:20-21*.
   Según este pasaje las dos condiciones de la salvación son:
   (1)______________________ para con Dios.
   (2)______________ en nuestro Señor Jesucristo.

1-3

ARREPENTIRSE significa dar media vuelta para poder caminar en dirección opuesta. Tenemos que RECONOCER que andamos mal; tenemos que CONFESAR a Dios que andamos mal; y tenemos que estar dispuestos a ABANDONAR nuestro mal camino. Esto es el arrepentimiento.

Pero al querer dejar nuestro mal camino, nos damos cuenta de que nuestros pecados nos amarran. Necesitamos que Alguien que sea más fuerte que el pecado nos ayude. Sólo Cristo ha vivido en el mundo sin pecado; sólo Cristo ha muerto por nosotros en la cruz; sólo Cristo ha resucitado de la tumba. Por tanto, *sólo Cristo nos podrá salvar. Así es que necesitamos INVITAR a Cristo a venir a nuestro corazón y RECIBIRLO por fe como nuestro Señor y Salvador.* Esto es lo que significa CREER EN CRISTO (*Juan 1:12*).

9. "He aquí, yo estoy a la puerta y llamo; si alguno oye mi voz y abre la puerta, entraré a él" — *Apocalipsis 3:20.*
   Según este pasaje, ¿qué promete Cristo hacer si le oímos y le abrimos la puerta de nuestro corazón?
   ____

10. ¿Le ha invitado usted a Cristo a venir a su vida para perdonar sus pecados y tomar posesión de su ser? ¿Sí o no? ____________

Si usted ha invitado a Cristo a entrar en su vida y tomar posesión de ella, EL LO HIZO, porque prometió hacerlo y él NO ES MENTIROSO.

11. ¿Confía usted en la palabra de Cristo? ¿Sí o no? __
12. En *Juan 5:24*, Cristo declara que cuando uno oye su palabra y cree en el que le envió, tres cosas siempre resultan:
    (1) Tiene ______________________________
    (2) No vendrá a __________________________
    (3) Ha pasado de _________ a ____________
13. En *Juan 10:28,* ¿qué dijo Cristo de "sus ovejas", de los que lo reciben por fe como Pastor de sus almas?
    (1) Que les da______________________________
    (2) Que no ______________________________ jamás.
    (3) Y que nadie __________________ de mi mano.
14. "Y este es el testimonio: que Dios nos ha dado vida eterna; y esta vida está en su Hijo. El que tiene al Hijo tiene la vida; el que no tiene al Hijo de Dios no tiene la vida" — *1 Juan 5:11-12.* De acuerdo con este pasaje conteste estas preguntas:
    (1) ¿Qué nos ha dado Dios? ______________
    (2) ¿Dónde está la vida eterna? ___________
    (3) ¿Qué posee "el que tiene al Hijo"?__________
    ____

La seguridad de nuestra salvación NO depende de lo que digan nuestros sentimientos. Estos son muy volubles. Más bien depende del testimonio invariable de LA PALABRA DE DIOS.

dichos, para no pecar contra ti." ¿Qué quiere decir "guardar la Palabra de Dios en el corazón"?

____

____

El *Salmo 1:2* llama bienaventurado al hombre que "*medita* en la ley de Jehová de día y de noche".
Vemos, pues, que hay cinco cosas que el creyente debe hacer con la Palabra de Dios para recibir el debido alimento espiritual: OIR, LEER, ESTUDIAR, APRENDER DE MEMORIA y MEDITAR.

11. *2 Timoteo 3:16* nos dice que la Palabra de Dios es útil para hacer cuatro cosas:
    (1)____
    (2)____
    (3)____
    (4)____

Para crecer espiritualmente el creyente no sólo tiene que aprender a ALIMENTARSE de la Palabra de Dios, sino aprender también a HABLAR con su Padre celestial por la ORACION.

2-3

12. ¿Qué se nos manda hacer en *1 Tesalonicenses 5:17*?

    ____

13. Según *Lucas 18:1*, ¿qué es lo que NO debemos hacer en relación con la oración?

    ____

14. ¿Qué dos cosas nos enseña *Marcos 1:35* acerca de la práctica de la oración en la vida de Jesús?
    (1) En cuanto a tiempo:________________________
    (2) En cuanto a lugar:_________________________

    ____

15. Antes de escoger a sus doce apóstoles, ¿qué hizo Cristo según *Lucas 6:12*?

    ____

    ____

16. Cuando se le multiplicaba el trabajo, según *Lucas 5:15-16*, ¿qué hacía el Señor?

    ____

    ____

17. Cuando la Iglesia de Jerusalén estaba en apuros, ¿qué hacía, según *Hechos 12:5*?

____

18. ¿En nombre de quién debemos orar? (*Juan 14:13-14*).

____

19. ¿Qué debemos pedir según *Mateo 26:41*?

____

20. *En Santiago 1:5, 6* hallamos dos indicaciones importantes respecto a la oración:

(1) Algo que pedir: _______________

(2) Una condición que llenar: _______________

____

21. *1 Juan 5:14-15* presenta una doble enseñanza:

(1) Que si pedimos de acuerdo con la voluntad de Dios, SABEMOS _______________

(2) Que si sabemos que él nos oye, SABEMOS también que _______________

____

22. ¿Cuál es uno de los resultados de la oración contestada, según *Juan 16:24*?

____

____

23. Anote algunos de los motivos de oración por los cuales usted ora diariamente en su CITA CON DIOS.

____

____

____

____

____

19. ¿Cuál es el mandamiento de Dios según *1 Juan 3:23?*
(1) Que ________________________________
____
(2) Y nos ________________________________
20. ¿Cuál es el *primer* nombre dado a Cristo en *Apocalipsis 1:5?*
____
21. ¿Qué nombre dio Cristo a sus discípulos en *Lucas 24:48?*
____
22. ¿Qué nos enseña *Lucas 8:39* acerca del testimonio cristiano?
(1) En cuanto a lugar: ________________________________
(2) En cuanto a mensaje: ________________________________
____
23. ¿Qué exhortación da Pablo en *2 Timoteo 1:8a?*
____
____

El Nuevo Testamento presenta tres tipos de *testimonio verbal:* (1) Una simple INVITACION (*Juan 1:41-42; 1:45-46; 4:28-29; Hechos 10:24);* (2) Un TESTIMONIO PERSONAL, o sea la narración de la propia experiencia de uno con el Señor *(Hechos 22:1-21; 26:1-29);* y (3) Una PRESENTACION BIBLICA del evangelio (*Hechos 8:35).*

3-3

24. ¿Ha invitado usted alguna vez a alguien para que oiga la predicación del evangelio? ¿Sí o no? ____________
Si no, ¿a quién pudiera usted invitar esta semana?
____

El ejemplo del apóstol Pablo *(Hechos 22:1-21; 26:1-29)* nos enseña que el TESTIMONIO PERSONAL debe girar en torno a cuatro consideraciones, a saber: (1) Algo de lo que éramos ANTES de conocer a Cristo; (2) COMO llegamos a recibir a Cristo como Señor y Salvador de nuestra vida; (3) Algo del cambio que ha resultado DESPUES; y (4) una INVITACION para que las personas que escuchan se entreguen también al Señor.
25. ¿Ha testificado usted alguna vez a alguien de su propia experiencia de recibir a Cristo como su Señor y Salvador? ¿Sí o no?____________

Una presentación bíblica de las buenas nuevas de salvación en Cristo (el evangelio) puede hacerse de varias maneras. A continuación damos un plan sencillo y a la vez completo.

CINCO VERDADES VITALES

(1) LA VERDAD DEL AMOR

Dios le ama y desea que usted tenga una vida abundante. (Juan 3:16; Juan 10:10b)

(2) LA VERDAD DEL PECADO

El pecado le separa de Dios y le priva de la vida abundante.

(Romanos 3:23; Romanos 6:23a)

(3) LA VERDAD DEL SUBSTITUTO

Jesucristo tomó el lugar de usted en la cruz y pagó el precio completo de su salvación, haciendo posible que usted vuelva a Dios.

(Romanos 5:8; Juan 14:6)

(4) LA VERDAD DEL ARREPENTIMIENTO

Para poder volver a Dios, necesita usted arrepentirse de sus pecados. (Hechos 3:19)

(5) LA VERDAD DE LA FE

La vida eterna y abundante es una dádiva que Dios le ofrece en Cristo. Será suya si le recibe a él por fe como su Señor y Salvador.

(Romanos 6:23; Juan 1:12; Apocalipsis 3:20; Efesios 2:8, 9).

3-4

Aprenda usted estas "cinco verdades vitales" y en su Nuevo Testamento marque los once pasajes citados de manera que los pueda localizar fácilmente cuando tenga la oportunidad de hacer una presentación bíblica del evangelio. Si su Nuevo Testamento es la edición "*El Camino de Vida*", (CBP. 48574), usted encontrará que los mencionados pasajes ya están marcados.

---

nuestros pecados. Es decir, tenemos que reconocer que andamos mal; tenemos que confesar a Dios que andamos mal; y tenemos que tener el deseo sincero de dejar de andar mal. En otras palabras, el arrepentimiento es un cambio espiritual profundo respecto al pecado: un cambio de opinión, de actitud, de sentimiento y de voluntad.

Pero el arrepentimiento solo no basta. Cuando uno se convence de la realidad terrible de su pecado; cuando confiesa sinceramente a Dios su maldad; y cuando siente un deseo profundo de dejar su mal camino, inmediatamente se da cuenta de que el querer NO es poder. Algo más le falta para poder zafarse de las cadenas que le detienen, necesita ayuda—la ayuda de alguien que ha comprobado ser más poderoso que el pecado y aun la muerte. ¡Sólo UNO ha llenado tan exigente requisito: el santo Hijo de Dios!

Esta consideración nos lleva enseguida a la última de las cinco verdades vitales, que es LA VERDAD DE LA FE. *La Vida eterna y abundante es una dádiva que Dios le ofrece en Cristo. Será suya si le recibe a él por fe como su Señor y Salvador.*

Cuando hablábamos de "la verdad del pecado" leímos parte de una declaración que hizo el apóstol Pablo a los cristianos de Roma. Ahora queremos volver a ese mismo texto bíblico para verlo en su totalidad:

> "Porque la paga del pecado es muerte, mas la dádiva de Dios es vida eterna en Cristo Jesús Señor nuestro"—Romanos 6:23.

Aquí se afirma que la vida eterna —esta vida abundante en gozo, paz, pureza, poder y seguridad— es una dádiva, o sea un regalo de Dios. Los regalos son pagados por la persona que los obsequia. Quien los recibe no paga nada. Así es que la vida eterna, que es la dádiva más valiosa que se puede imaginar, le costó un precio enorme a nuestro Padre celestial; le costó la vida de su Hijo. Por tanto, usted y yo no tenemos nada que pagar; sólo tenemos que recibir. En verdad, si quisiéramos pagar no podríamos hacerlo, porque el valor de la vida eterna está mucho más allá de todo esfuerzo o mérito humano. Además, si pretendiésemos pagar, ofenderíamos a Aquel que nos ofrece el regalo.

Antes de presentar un obsequio, las personas bien educadas siempre tienen el cuidado de hacerle a su regalo una envoltura atractiva. Así también ha hecho nuestro Dios; ha envuelto la dádiva de la vida eterna "en Cristo Jesús". No ha colocado este precioso don en ninguna otra persona ni en otra parte alguna. Lo puso exclusivamente en la persona y en la obra de su Hijo. Entonces, para recibir este regalo de Dios, tenemos que recibir a Cristo mismo en nuestro corazón, porque la vida eterna está EN EL.

Pero observemos una cosa más. Dice el texto que estamos comentando que "la dádiva de Dios es vida eterna en Cristo Jesús *Señor nuestro*". Quiere decir, pues, que al recibir a Cristo en nuestro corazón, hemos de recibirle como SEÑOR de nuestra vida.

Cuando Dios creó al hombre le puso en el Huerto de Edén, rodeado de toda cosa buena y hermosa. De todo disponía —menos de una sola cosa. Como símbolo de la soberanía divina, Dios le prohibió a Adán que comiera del fruto del árbol de la ciencia del bien y del mal. Mientras que el hombre respetaba esa prohibición estaba diciendo en efecto que quien mandaba en el mundo era Dios. Pero por desgracia el hombre no quiso seguir respetando la soberanía divina. Se rebeló en contra de su Creador. Extendió la mano y tomó del fruto prohibido. Con ese acto dijo en efecto: "Quien manda aquí soy yo". Y en consecuencia de aquel acto de rebelión le ha sobrevenido a la humanidad todo el cúmulo de desastres que narra la historia y que los periódicos proclaman cada día.

La raíz y la esencia de todo pecado es precisamente la negación de la legítima soberanía de Dios en nuestra vida. Por esto quedó Adán desterrado del paraíso, y por esto mismo usted y yo estamos "destituidos de la gloria de Dios". Por tanto, si queremos recuperar la gloria perdida, tenemos que hacer lo contrario de lo que hizo Adán; tenemos que bajar del trono de nuestro corazón al YO que ha mandado hasta ahora, e invitar a CRISTO a entrar para ser nuestro SEÑOR y REY.

Esto es lo que significa "creer en Cristo". La fe cristiana no es una simple creencia en ciertos hechos históricos, por verídicos que éstos sean. Es más bien la recepción en el corazón de una Persona a quien se le entregan las riendas de la vida. Así lo explicó el apóstol Juan:

> **"A lo suyo vino, y los suyos no le recibieron. Mas a todos los que le recibieron, a los que creen en su nombre, les dio potestad de ser hechos hijos de Dios"—Juan 1:12.**

Cristo vino a su pueblo. Poncio Pilato se lo presentó, diciendo: "He aquí vuestro Rey". Y ellos contestaron: "No tenemos más rey que César". Ellos lo rechazaron, pero todo aquel que lo recibe por fe como Rey de su corazón llega por esta misma decisión a ser hecho un hijo de Dios.

Entonces queda claro lo que usted debe hacer. Para tener la vida eterna, necesita invitar a Cristo a entrar en su corazón como Rey y Señor de su vida. El desea entrar, pero espera ser invitado. Escuche sus palabras:

> **"He aquí, yo estoy a la puerta y llamo; si alguno oye mi voz y abre la puerta, entraré a él"—Apocalipsis 3:20.**

¿Le invitará usted? Permítame ayudarle. Lea con cuidado el párrafo que sigue. Si está de acuerdo con lo que dice y si de todo corazón desea someter su vida a la soberanía de Cristo, ponga su firma y escriba la fecha en los espacios en blanco dejados para este fin.

> **Señor Jesús, he buscado la paz, el poder y la felicidad sin hallarlos. Ahora comprendo la razón. Es que mi pecado me ha separado de Dios, privándome de la vida abundante que él me quiere dar. Pero sé que por amor Tu dejaste la gloria para morir en la cruz por mí. Pagaste el precio completo de la salvación, y por tu vida, tu muerte y tu resurrección me abriste el camino para volver a Dios. Señor Jesús, quiero dejar mis pecados. Y sabiendo que sólo Tú me puedes dar el poder necesario para vivir como debo, te invito a venir a mi corazón para perdonar mis pecados y para ser Dueño de mi voluntad de hoy en adelante. Por fe te recibo ahora como mi Señor y Salvador.**

....

(Firma)

....

(Fecha)

5. En *Hechos 2:42* vemos que los primeros cristianos perseveraban, no sólo en "la doctrina de los apóstoles", "el partimiento del pan" y "en las oraciones", sino también en:

   ____

6. En *Hechos 4:5-22* los apóstoles Pedro y Juan tuvieron una dificultad con las autoridades religiosas, las cuales les mandaron no predicar ya más. Cuando recibieron esta orden, ¿qué fue lo primero que hicieron, segun *Hechos 4:23?*

   ____

   ____

7. De acuerdo con *Hebreos 10:25* hay algo que NO debemos hacer.
   ¿Qué es? ______________________________
8. ¿Qué prometió Cristo en *Mateo 18:20?*

   ____

   ____

Vemos, pues, que como creyentes somos miembros de la familia de la fe. Dios es nuestro Padre, Cristo es nuestro Hermano Mayor, y todos nosotros somos hermanos. Somos "un cuerpo en Cristo", y como tal *nos pertenecemos el uno al otro y nos necesitamos mutuamente*. Por tal motivo, tenemos la obligación y el privilegio de ayudarnos el uno al otro en nuestra vida espiritual. Esta es la razón de la existencia de LA IGLESIA.

4-3

La palabra "iglesia" aparece 109 veces en el Nuevo Testamento. Literalmente significa "asamblea". En 17 pasajes parece designar a todo el pueblo del Señor. En los 92 pasajes restantes, sin embargo, se refiere claramente a una asamblea o congregación local de creyentes bautizados. (Más sobre el bautismo se verá en la LECCION 7.) En su sentido de *congregación cristiana local* la iglesia es EL HOGAR ESPIRITUAL DEL CREYENTE.

9. Escribiendo a una congregación cristiana local — la iglesia de Corinto— Pablo hace una pregunta en *1 Corintios 11:22* que señala una actitud que NO debemos tener para con la iglesia de Dios. ¿Cuál es?

   Una actitud de ______________________________
10. ¿Cuál es la actitud de Cristo para con la Iglesia, según *Efesios 5:25?*

11. ¿Cuál es la relación entre Cristo y su Iglesia según *Efesios 5:23*?

(1) Cristo es____________________ de la Iglesia.

(2) La Iglesia es el ____________________ de Cristo.

12. *1 Corintios 3:16* habla del conjunto de los creyentes en Corinto, diciendo dos cosas importantes de esa congregación cristiana local:

(1) Sois____________________

(2) El ________ de________mora ________

13. ¿Está usted asistiendo con regularidad a los cultos de alguna congregación cristiana local? ¿Sí o no?________

¿Cómo se llama esa congregación?________________

¿Cómo se llama su pastor? ________________

¿Dónde está ubicado el templo o lugar de reuniones de esta iglesia local? ________________

¿Cuáles son los nombres de algunos de los miembros que ha conocido en las reuniones?________________

____

¿Ha asistido al estudio bíblico dominical que esta iglesia tiene?

¿Sí, o no?________

¿Se ha matriculado en él? ¿Sí, o no?________

Si no. ¿Lo hará el próximo domingo?________

(Si usted ve que necesita más orientación puede pedírsela a su "hermano guía", su maestro, o el pastor.)

14. Dar nombres de dos personas no creyentes por las cuales usted estará orando diariamente en su CITA CON DIOS:

(1) Nombre: ____________________

Dirección: ____________________

Relación: ____________________

(2) Nombre: ____________________

Dirección: ____________________

Relación: ____________________

primer siglo? (*Hechos 2:4; 4:8, 31; 6:3, 5; 7:55; 9:17; 11:24; 13:9, 52*).

Eran hombres y mujeres del ____________________

14. Para que el Espíritu Santo nos pueda llenar, hay por lo menos dos pecados que tenemos que abandonar.

    (1) Tenemos que dejar de ____________________

    al Espíritu, según *Efesios 4:30*.

    (2) Tenemos que dejar de ____________________
    al Espíritu, según *1 Tesalonicenses 5:19*.

15. Según *Hechos 5:32*, ¿a quién ha dado Dios el Espíritu?

    ____

"Contristamos" al Espíritu cuando "damos lugar al diablo" *(Efesios 4:27)*. Antes de ser salvos éramos "hijos del diablo" *(Juan 8:44)* y estábamos en cautiverio a su voluntad (*2 Timoteo 2:26*). Pero ahora Dios "nos ha librado de la potestad de las tinieblas y trasladado al reino de su amado Hijo" *(Colosenses 1:13)*. Satanás ya no tiene ningún derecho sobre nosotros, y si le resistimos en el nombre de Cristo tiene que huir *(Santiago 4:7)*. Pero cuando, en vez de resistirlo, le damos lugar, incurrimos en adulterio espiritual, hiriendo los sentimientos del Espíritu e impidiéndole su deseo de llenarnos *(Santiago 4:5)*.

5-3

"Apagamos" al Espíritu cuando nos negamos a cumplir con un conocido deber cristiano. Es el Espíritu quien nos impulsa a obedecer la voluntad de Dios, así como ésta se nos revela en las Escrituras. Cuando obedecemos, el Espíritu tiene libertad para *llenarnos*. Cuando desobedecemos, le apagamos en un sentido relativo, reduciendo la intensidad de su llama en nuestro corazón.

Concluimos, pues, que en la medida en que nos sometemos a la soberanía de Cristo en nuestra vida diaria, en esta medida precisa seremos "llenos del Espíritu".

16. La evidencia de que uno está lleno del Espíritu consiste en demostrar el "fruto del Espíritu" en su vida diaria.

    ¿Cuál es este fruto según *Gálatas 5:22, 23*? ____________

    ____

    ____

17. ¿Qué hace el Espíritu por nosotros, según *Juan 16:13a*?

    ____

18. ¿Qué hace el Espíritu por nosotros según *Juan 14:26*?

(1)____________________________________

(2)____________________________________

19. ¿Qué hace el Espíritu por nosotros según *Romanos 8:14*?

____

20. Según *Romanos 8:13*, ¿qué podemos nosotros hacer POR MEDIO del Espíritu? ____________________

____

21. ¿Cómo es caracterizado el Espíritu según *2 Timoteo 1:7*? No es el espíritu de ______, sino de ____________

____________ ,de__________y de __________

22. Según *Hechos 6:3*, ¿qué cualidad se obtiene cuando uno está "lleno del Espíritu"?

____

23. Según *Hechos 13:52*, ¿qué cualidad se obtiene cuando uno está "lleno del Espíritu"?

____

5-4 24. ¿Qué nos da el Espíritu según *Hechos 1:8*?

____

25. Cuando los creyentes de Jerusalén estuvieron "llenos del Espíritu", ¿qué hicieron según *Hechos 4:31*?

____

____

26. ¿Ha realizado usted las dos visitas mencionadas en la tarea número 3? ¿Sí o no?__________
Si no las ha hecho, hágalas pronto y luego marque en seguida *cuándo* fueron hechas y a quiénes:

Nombre: ____________ Fecha: ____________

Nombre: ____________ Fecha: ____________

nuestros pecados. Es decir, tenemos que reconocer que andamos mal; tenemos que confesar a Dios que andamos mal; y tenemos que tener el deseo sincero de dejar de andar mal. En otras palabras, el arrepentimiento es un cambio espiritual profundo respecto al pecado: un cambio de opinión, de actitud, de sentimiento y de voluntad.

Pero el arrepentimiento solo no basta. Cuando uno se convence de la realidad terrible de su pecado; cuando confiesa sinceramente a Dios su maldad; y cuando siente un deseo profundo de dejar su mal camino, inmediatamente se da cuenta de que el querer NO es poder. Algo más le falta para poder zafarse de las cadenas que le detienen, necesita ayuda—la ayuda de alguien que ha comprobado ser más poderoso que el pecado y aun la muerte. Sólo UNO ha llenado tan exigente requisito: el santo Hijo de Dios!

Esta consideración nos lleva enseguida la última de las cinco verdades vitales, ue es LA VERDAD DE LA FE. *La Vida terna y abundante es una dádiva que ios le ofrece en Cristo. Será suya si le ecibe a él por fe como su Señor y Salador.*

Cuando hablábamos de "la verdad del ecado" leímos parte de una declaración ue hizo el apóstol Pablo a los cristianos e Roma. Ahora queremos volver a ese ismo texto bíblico para verlo en su totadad:

> "Porque la paga del pecado es muerte, mas la dádiva de Dios es vida eterna en Cristo Jesús Señor nuestro"—Romanos 6:23.

Aquí se afirma que la vida eterna —esta da abundante en gozo, paz, pureza, por y seguridad— es una dádiva, o sea un galo de Dios. Los regalos son pagados r la persona que los obsequia. Quien s recibe no paga nada. Así es que la da eterna, que es la dádiva más valiosa e se puede imaginar, le costó un precio orme a nuestro Padre celestial; le costó vida de su Hijo. Por tanto, usted y yo tenemos nada que pagar; sólo tenemos e recibir. En verdad, si quisiéramos gar no podríamos hacerlo, porque el lor de la vida eterna está mucho más á de todo esfuerzo o mérito humano. Además, si pretendiésemos pagar, ofenderíamos a Aquel que nos ofrece el regalo.

Antes de presentar un obsequio, las personas bien educadas siempre tienen el cuidado de hacerle a su regalo una envoltura atractiva. Así también ha hecho nuestro Dios; ha envuelto la dádiva de la vida eterna "en Cristo Jesús". No ha colocado este precioso don en ninguna otra persona ni en otra parte alguna. Lo puso exclusivamente en la persona y en la obra de su Hijo. Entonces, para recibir este regalo de Dios, tenemos que recibir a Cristo mismo en nuestro corazón, porque la vida eterna está EN EL.

Pero observemos una cosa más. Dice el texto que estamos comentando que "la dádiva de Dios es vida eterna en Cristo Jesús *Señor nuestro*". Quiere decir, pues, que al recibir a Cristo en nuestro corazón, hemos de recibirle como SEÑOR de nuestra vida.

Cuando Dios creó al hombre le puso en el Huerto de Edén, rodeado de toda cosa buena y hermosa. De todo disponía —menos de una sola cosa. Como símbolo de la soberanía divina, Dios le prohibió a Adán que comiera del fruto del árbol de la ciencia del bien y del mal. Mientras que el hombre respetaba esa prohibición estaba diciendo en efecto que quien mandaba en el mundo era Dios. Pero por desgracia el hombre no quiso seguir respetando la soberanía divina. Se rebeló en contra de su Creador. Extendió la mano y tomó del fruto prohibido. Con ese acto dijo en efecto: "Quien manda aquí soy yo". Y en consecuencia de aquel acto de rebelión le ha sobrevenido a la humanidad todo el cúmulo de desastres que narra la historia y que los periódicos proclaman cada día.

La raíz y la esencia de todo pecado es precisamente la negación de la legítima soberanía de Dios en nuestra vida. Por esto quedó Adán desterrado del paraíso, y por esto mismo usted y yo estamos "destituidos de la gloria de Dios". Por tanto, si queremos recuperar la gloria perdida, tenemos que hacer lo contrario de lo que hizo Adán; tenemos que bajar del trono de nuestro corazón al YO que ha mandado hasta ahora, e invitar a CRISTO a entrar para ser nuestro SEÑOR y REY.

Esto es lo que significa "creer en Cristo". La fe cristiana no es una simple creencia en ciertos hechos históricos, por verídicos que éstos sean. Es más bien la recepción en el corazón de una Persona a quien se le entregan las riendas de la vida. Así lo explicó el apóstol Juan:

> "A lo suyo vino, y los suyos no le recibieron. Mas a todos los que le recibieron, a los que creen en su nombre, les dio potestad de ser hechos hijos de Dios"—Juan 1:12.

Cristo vino a su pueblo. Poncio Pilato se lo presentó, diciendo: "He aquí vuestro Rey". Y ellos contestaron: "No tenemos más rey que César". Ellos lo rechazaron, pero todo aquel que lo recibe por fe como Rey de su corazón llega por esta misma decisión a ser hecho un hijo de Dios.

Entonces queda claro lo que usted debe hacer. Para tener la vida eterna, necesita invitar a Cristo a entrar en su corazón como Rey y Señor de su vida. El desea entrar, pero espera ser invitado. Escuche sus palabras:

> "He aquí, yo estoy a la puerta y llamo; si alguno oye mi voz y abre la puerta, entraré a él"—Apocalipsis 3:20.

¿Le invitará usted? Permítame ayudarle. Lea con cuidado el párrafo que sigue. Si está de acuerdo con lo que dice y si de todo corazón desea someter su vida a la soberanía de Cristo, ponga su firma y escriba la fecha en los espacios en blanco dejados para este fin.

> Señor Jesús, he buscado la paz, el poder y la felicidad sin hallarlos. Ahora comprendo la razón. Es que mi pecado me ha separado de Dios, privándome de la vida abundante que él me quiere dar. Pero sé que por amor Tú dejaste la gloria para morir en la cruz por mí. Pagaste el precio completo de la salvación, y por tu vida, tu muerte y tu resurrección me abriste el camino para volver a Dios. Señor Jesús, quiero dejar mis pecados. Y sabiendo que sólo Tú me puedes dar el poder necesario para vivir como debo, te invito a venir a mi corazón para perdonar mis pecados y para ser Dueño de mi voluntad de hoy en adelante. Por fe te recibo ahora como mi Señor y Salvador.

....

(Firma)

....

(Fecha)

uestros pecados. Es decir, tenemos que conocer que andamos mal; tenemos que nfesar a Dios que andamos mal; y teneos que tener el deseo sincero de dejar andar mal. En otras palabras, el arrentimiento es un cambio espiritual prondo respecto al pecado: un cambio de inión, de actitud, de sentimiento y de luntad.

Pero el arrepentimiento solo no basta. uando uno se convence de la realidad rrible de su pecado; cuando confiesa sinramente a Dios su maldad; y cuando nte un deseo profundo de dejar su mal mino, inmediatamente se da cuenta de e el querer NO es poder. Algo más le ta para poder zafarse de las cadenas e le detienen, necesita ayuda—la ayuda alguien que ha comprobado ser más deroso que el pecado y aun la muerte. ólo UNO ha llenado tan exigente requio: el santo Hijo de Dios!

Esta consideración nos lleva enseguida a última de las cinco verdades vitales, e es LA VERDAD DE LA FE. *La Vida rna y abundante es una dádiva que os le ofrece en Cristo. Será suya si le ibe a él por fe como su Señor y Sallor.*

Cuando hablábamos de "la verdad del ado" leímos parte de una declaración e hizo el apóstol Pablo a los cristianos Roma. Ahora queremos volver a ese smo texto bíblico para verlo en su totaad:

> "Porque la paga del pecado es muerte, mas la dádiva de Dios es vida eterna en Cristo Jesús Señor nuestro"—Romanos 6:23.

Aquí se afirma que la vida eterna —esta a abundante en gozo, paz, pureza, poy seguridad— es una dádiva, o sea un alo de Dios. Los regalos son pagados la persona que los obsequia. Quien recibe no paga nada. Así es que la a eterna, que es la dádiva más valiosa se puede imaginar, le costó un precio rme a nuestro Padre celestial; le costó ida de su Hijo. Por tanto, usted y yo tenemos nada que pagar; sólo tenemos recibir. En verdad, si quisiéramos ar no podríamos hacerlo, porque el r de la vida eterna está mucho más de todo esfuerzo o mérito humano. Además, si pretendiésemos pagar, ofenderíamos a Aquel que nos ofrece el regalo.

Antes de presentar un obsequio, las personas bien educadas siempre tienen el cuidado de hacerle a su regalo una envoltura atractiva. Así también ha hecho nuestro Dios; ha envuelto la dádiva de la vida eterna "en Cristo Jesús". No ha colocado este precioso don en ninguna otra persona ni en otra parte alguna. Lo puso exclusivamente en la persona y en la obra de su Hijo. Entonces, para recibir este regalo de Dios, tenemos que recibir a Cristo mismo en nuestro corazón, porque la vida eterna está EN EL.

Pero observemos una cosa más. Dice el texto que estamos comentando que "la dádiva de Dios es vida eterna en Cristo Jesús *Señor nuestro*". Quiere decir, pues, que al recibir a Cristo en nuestro corazón, hemos de recibirle como SEÑOR de nuestra vida.

Cuando Dios creó al hombre le puso en el Huerto de Edén, rodeado de toda cosa buena y hermosa. De todo disponía —menos de una sola cosa. Como símbolo de la soberanía divina, Dios le prohibió a Adán que comiera del fruto del árbol de la ciencia del bien y del mal. Mientras que el hombre respetaba esa prohibición estaba diciendo en efecto que quien mandaba en el mundo era Dios. Pero por desgracia el hombre no quiso seguir respetando la soberanía divina. Se rebeló en contra de su Creador. Extendió la mano y tomó del fruto prohibido. Con ese acto dijo en efecto: "Quien manda aquí soy yo". Y en consecuencia de aquel acto de rebelión le ha sobrevenido a la humanidad todo el cúmulo de desastres que narra la historia y que los periódicos proclaman cada día.

La raíz y la esencia de todo pecado es precisamente la negación de la legítima soberanía de Dios en nuestra vida. Por esto quedó Adán desterrado del paraíso, y por esto mismo usted y yo estamos "destituidos de la gloria de Dios". Por tanto, si queremos recuperar la gloria perdida, tenemos que hacer lo contrario de lo que hizo Adán; tenemos que bajar del trono de nuestro corazón al YO que ha mandado hasta ahora, e invitar a CRISTO a entrar para ser nuestro SEÑOR y REY.

Esto es lo que significa "creer en Cristo". La fe cristiana no es una simple creencia en ciertos hechos históricos, por verídicos que éstos sean. Es más bien la recepción en el corazón de una Persona a quien se le entregan las riendas de la vida. Así lo explicó el apóstol Juan:

> **"A lo suyo vino, y los suyos no le recibieron. Mas a todos los que le recibieron, a los que creen en su nombre, les dio potestad de ser hechos hijos de Dios"—Juan 1:12.**

Cristo vino a su pueblo. Poncio Pilato se lo presentó, diciendo: "He aquí vuestro Rey". Y ellos contestaron: "No tenemos más rey que César". Ellos lo rechazaron, pero todo aquel que lo recibe por fe como Rey de su corazón llega por esta misma decisión a ser hecho un hijo de Dios.

Entonces queda claro lo que usted debe hacer. Para tener la vida eterna, necesita invitar a Cristo a entrar en su corazón como Rey y Señor de su vida. El desea entrar, pero espera ser invitado. Escuche sus palabras:

> **"He aquí, yo estoy a la puerta y llamo; si alguno oye mi voz y abre la puerta, entraré a él"—Apocalipsis 3:20.**

¿Le invitará usted? Permítame ayudarle. Lea con cuidado el párrafo que sigue. Si está de acuerdo con lo que dic y si de todo corazón desea someter su vid a la soberanía de Cristo, ponga su firm y escriba la fecha en los espacios en bla co dejados para este fin.

> **Señor Jesús, he buscado la paz, poder y la felicidad sin hallarlos. Ah ra comprendo la razón. Es que mi p cado me ha separado de Dios, priván dome de la vida abundante que él m quiere dar. Pero sé que por amor T dejaste la gloria para morir en la cru por mí. Pagaste el precio completo d la salvación, y por tu vida, tu muert y tu resurrección me abriste el camin para volver a Dios. Señor Jesú quiero dejar mis pecados. Y sabiend que sólo Tú me puedes dar el pode necesario para vivir como debo, invito a venir a mi corazón para pe donar mis pecados y para ser Dueñ de mi voluntad de hoy en adelant Por fe te recibo ahora como mi Señ y Salvador.**

....

(Firma)

....

(Fecha)

restaurados a la comunión con Dios por medio de la *confesión*. La confesión debe ser DIRECTA (a Dios, y no a un sacerdote humano); debe ser INMEDIATA (tan pronto como somos conscientes de haber pecado); debe ser ESPECIFICA (nombrando el pecado cometido por su nombre); y debe ser HONRADA (aceptando todo el peso de nuestra culpa personal). Cuando así le confesamos nuestro pecado, Dios nos PERDONA y nos LIMPIA. ¿Cómo lo sabemos? ¿Por alguna sensación emotiva? ¡No! LO SABEMOS POR EL TESTIMONIO DE LA PALABRA DE DIOS. Por tanto, hecha la confesión, debemos *confiar* en la promesa y *dar gracias* por la bendición recibida.

Pero el creyente sincero anhela algo mejor que una vida de continuas caídas y restauraciones. Anhela una *vida de victoria*. Aunque sabe que la perfección no se alcanza en esta vida, sabe también que "todo aquel que es nacido de Dios no practica (habitual y continuamente) el pecado" (*1 Juan 3:9*). Veamos, pues, en qué consiste el secreto de la *libertad del poder del pecado*.

12. Según *Gálatas 5:17* existe dentro del creyente un conflicto entre

    ____________________ y ____________________

6-3

13. ¿Qué decía Pablo acerca de sí mismo en *Romanos 7:18*?

    ____

    ____

    ____

En *Romanos 7:14-25* el apóstol Pablo (sin duda uno de los mejores cristianos que ha vivido) confiesa la lucha espiritual que sostenía dentro de sí mismo. Identifica a los "contrincantes" en esa lucha como sigue:

YO contra EL PECADO QUE MORA EN MI *(vv. 17, 20)*
EL HOMBRE INTERIOR contra MIS MIEMBROS (*vv. 22, 23)* LA MENTE contra la CARNE (*vv. 25*).

En el capítulo ocho de Romanos nos revela cómo obtuvo *la victoria*.

14. De acuerdo con *Romanos 8:2*, ¿qué es lo que nos libra de la ley del pecado y de la muerte?

    ____

    ____

15. De acuerdo con *Romanos 8:13*, ¿cómo podemos "hacer morir las obras de la carne"?

    Por el ________________________________

16. ¿Qué es la vida para el creyente, según *Filipenses 1:21a*?
Para mí el vivir es ____________

17. ¿Quién vive en el creyente según *Gálatas 2:20*?
____

18. Según *2 Corintios 3:17a,* ¿quién es el Señor?
El Señor es ____________

19. "Andad en el Espíritu, y no satisfaréis el deseo de la carne" *(Gálatas 5:16,* Versión Hispano-Americana).
Según este texto, ¿qué hemos de hacer para no satisfacer los deseos de la carne?
Andar en el ____________

Colosenses 2:6 dice: "Por tanto, de la manera que habéis recibido al Señor Jesucristo, andad en él." Recibimos a Cristo en nuestro corazón por fe. Entonces hemos de "andar en él", es decir, vivir la vida cristiana, también POR FE.

Concluimos, pues, que para tener libertad del poder del pecado, hay cinco cosas que hacer *cada día:* (1) RECONOCER que tenemos una naturaleza propensa al mal *(Romanos 7:18);* (2) COMPRENDER que nosotros mismos no podemos vencer el pecado que mora en nosotros (*Romanos 7:14-17);* (3) RECORDAR que Cristo, por su Espíritu, ahora mora en nosotros (*Gálatas 2:20; 2 Corintios 3:17; Romanos 8:9);* (4) PEDIR al Señor que por su Espíritu haga morir en nosotros las obras de la carne *(Romanos 8:13)* y que se encargue de vivir su vida de santidad en y por medio de nosotros (*Gálatas 2:20);* y (5) CREER que el Señor hará lo que le hemos pedido *(1 Juan 5:14-15).* Procure practicar estas cinco cosas en su diaria CITA CON DIOS.

6-4

caso del bautismo de párvulos o de personas que no hubiesen dado previamente evidencias de fe personal en el Señor.

11. ¿Qué hizo Jesús después de su bautismo? (*Mateo 3:16a*)
    ______________________________ del agua.
12. ¿Por qué bautizaba Juan en Enón? (*Juan 3:23*)
    Porque había allí ____________________
13. En el bautismo del eunuco, ¿qué hicieron éste y Felipe?
    (1)____________________ ambos al agua (*Hechos 8:38*).
    (2)________________________ del agua (*Hechos 8:39a*).
14. Después de la siguiente pregunta hay dos posibles contestaciones. Subraye usted la que es correcta.
    Según *Romanos 6:4*, ¿qué se nos hace en el bautismo?
    (1) Somos rociados; (2) Somos sepultados.
15. Según Colosenses 2:12 suceden dos cosas en el bautismo bíblico. ¿Cuáles son?
    Somos ________________ y ________________

Aparte del comprobadísimo hecho de que la voz "bautizar" literalmente significa "sumergir", las citas examinadas arriba confirman que *la forma bíblica del bautismo es por inmersión*. En el bautismo bíblico el creyente es "sepultado" en el agua para luego ser "resucitado" de ella.

16. ¿Qué dijo Cristo al ladrón arrepentido? (*Lucas 23:43*)
    ____
    ____
17. ¿Se bautizó el ladrón antes de morir? ¿Sí o no? ______
18. En *Hechos 20:17-38* el apóstol Pablo hace un resumen de su predicación del evangelio en Efeso. Insiste en que no había dejado de anunciarles "*todo el consejo de Dios*" ¿Encuentra usted en todo este pasaje una sola referencia al bautismo como *requisito* para la salvación?
    ¿Sí o no?________

En *1 Corintios 1:17* Pablo dice: "*Pues no me envió Cristo a bautizar, sino a predicar el evangelio.*" Si el bautismo fuese *requisito* para obtener la salvación, no se explica esta declaración de parte de uno que tanto anhelaba la salvación de todos los que le escuchaban. (Véase *Hechos 26:29*).

Juan 1:13 dice que los hijos de Dios "*no son engendrados de sangre, ni de voluntad de carne, ni de voluntad de varón, sino de Dios*". Además de afirmar que la salvación es obra exclusiva de Dios, este texto declara categóricamente que hay tres caminos por los cuales NO podemos obtener la salvación. No la podemos obtener por "*sangre*", es decir, por herencia sanguínea. Tampoco podemos obtenerla por "*voluntad de carne*", es decir, por los esfuerzos que uno mismo haga en beneficio propio. Y finalmente, no la podemos obtener por "*voluntad de varón*" o sea por cosa que otra persona tenga voluntad de hacer a nuestro favor. Pero si el bautismo fuese requisito para obtener la salvación, entonces ésta dependería de la voluntad del hermano que nos bautizara.

Si el propósito del bautismo fuese el de salvar, no importaría mucho cuál fuera su forma. Pues lo mismo podría Dios salvar con poca agua o con mucha. Pero como el bautismo NO ES UN SACRAMENTO que produzca la salvación, sino UN SIMBOLO que la describe, entonces es *indispensable que la forma corresponda a la realidad que se está simbolizando*. Si cambia la *forma*, se pierde el simbolismo, y el llamado "bautismo" que resulta no tiene razón de ser.

De acuerdo con *Romanos 6:3-5* el bautismo cristiano constituye un triple símbolo de la salvación: .

(1) Es un símbolo de la BASE de la salvación, que es la muerte y sepultura de Cristo y su resurrección de la tumba.

(2) Es un símbolo de la ESENCIA de la salvación, que es la muerte del creyente a la vieja vida de pecado y su resurrección espiritual con Cristo para andar en novedad de vida.

7-4

(3) Es un símbolo de la ESPERANZA de la salvación que es la futura resurrección corporal del creyente para vivir siempre con Cristo en gloria.

19. ¿Hasta ahora ha recibido usted el *verdadero* bautismo bíblico?

¿Sí o no? ______________________________

Si no, haga una lista de sus preguntas o inquietudes sobre el bautismo (¿Cómo pedirlo? ¿Cuándo se administra? ¿Cómo puede uno ser aprobado para recibirlo? etcétera), para tratar dichas preguntas con su maestro, o en la visita con el pastor que pronto se acerca.

(1) *1 Tesalonicenses 4:3* ______________________________

____

(2) *1 Tesalonicenses 5:18* ____________________________

(3) *1 Pedro 2:15* ___________________________________

____

10. La voluntad de Dios se nos revela también por los mandamientos bíblicos. Tomemos por ejemplo a *1 Corintios 6:19-20.*

    (1) ¿Qué nos manda hacer este pasaje? ______________

    ____

    (2) ¿En qué se funda este mandato? En qué no somos ______________ sino que hemos sido ______________

    (3) Entonces, ¿a quién pertenece el creyente? ________

    ____

    (4) Si pertenecemos a Dios, entonces no somos dueños de nuestra vida, sino simples MAYORDOMOS o ADMINISTRADORES, y como tales, según *1 Corintios 4:2*, debemos ser ______________________

    ____

    La mayordomía fiel de la vida abarca la recta administración de TODO LO QUE SOMOS y de TODO LO QUE TENEMOS para que en TODO LO QUE HAGAMOS Dios sea glorificado (*1 Pedro 4:10-11*). Como recordatorios de esta obligación TOTAL, Dios nos requiere de manera especial que le dediquemos *la séptima parte de nuestro tiempo (Exodo 20:8-11; Lucas 4:16), la décima parte de nuestras ganancias (Malaquías 3:8-10; 1 Corintios 16:1-2)*, y todos nuestros talentos o dones.

8-3

11. *1 Corintios 10:31, 32* contiene tanto un precepto positivo como otro negativo, como sigue:

    (1) Que debemos hacer todo cuanto hagamos para ______

    ____

    (2) Que no debemos "ser tropiezo" ni a ______________ ni a ______________, ni a ______________

Así es que cuando no sabemos qué hacer en un caso dado, podemos resolver el problema haciendo y contestando tres preguntas: (1) Si hago esto, ¿glorificaré a Dios o no? (2) Si hago esto, ¿seré tropiezo para que algún inconverso no crea en Cristo? (3) Si hago esto, ¿seré tropiezo para el desarrollo espiritual de algún hermano en la fe? Si hacemos estas preguntas con sinceridad y en el espíritu de oración, el Espíritu Santo nos guiará a la verdad (*Juan 16:13; Romanos 8:14*).

12. ¿Qué pregunta hizo Saulo en *Hechos 22:10a*?

____

Aquí tenemos una importante inquietud que debe vibrar en cada corazón cristiano: ¿Qué debo hacer con mi vida? Para hallar la respuesta correcta, hay dos cosas que tenemos que hacer: (1) *Conocernos a nosotros mismos*. En otras palabras, tenemos que *descubrir nuestro don*. Una de las enseñanzas más claras del Nuevo Testamento es que cada creyente ha sido dotado divinamente con algún don espiritual (*1 Corintios 7:7; 12:7; 1 Pedro 4:10*). Y puesto que Dios "no es Dios de confusión" (*1 Corintios 14:33*), es lógico concluir que el servicio que el Señor espera de nosotros será aquél en que nuestro don puede hallar su mejor y más amplia expresión. (2) *Conocer la voluntad de Dios*. De la misma manera en que el intrépido explorador de tierras desconocidas dirige su camino por los cuatro puntos cardinales de la brújula, así también existen cuatro puntos de referencia espiritual por los cuales podemos acertar en descubrir cuál es la voluntad de Dios para nuestras vidas.

PRIMERO: Tenemos que *hacer ahora* lo que sabemos que Dios quiere que hagamos ahora.
SEGUNDO: Tenemos que *buscar la dirección divina* por medio de la oración y la lectura de las Escrituras.
TERCERO: Tenemos que *tomar en cuenta las circunstancias providenciales* que nos rodean.
CUARTO: Tenemos que *someter nuestra voluntad incondicionalmente a la voluntad del Señor*.

13. ¿Qué le dijo María al ángel en *Lucas 1:38*?

____

____

14. ¿Está usted dispuesto a poner su vida INCONDICIONALMENTE a disposición de la voluntad de Dios? ¿Sí o no? ____________________

15. Cita con el pastor: Si usted todavía no ha sido bautizado bíblicamente (por inmersión) repase sinceramente la Lección 7 y con la ayuda de su maestro tengan una entrevista con el pastor para ser presentado como candidato al bautismo, ante la iglesia, la familia de la fe a la que usted pertenece por el poder del Espíritu Santo y como persona obediente a la voluntad del Señor.
Fecha ______________ Hora ______________
Lugar ______________________________

NOTA: Usted ahora aproveche para ser un siervo fiel y siga enseñando a otros estas lecciones que servirán para que muchos tengan la vida abundante que usted ahora tiene.

DATOS PERSONALES DEL ALUMNO

Nombre: ____

Dirección: ____

Teléfono: ____

Edad: __________

Llegó a conocer a Cristo: ________________________________

Fecha: __________

Lugar: ____

Nombre del "Hermano Guía": ____________________________

Fecha del bautismo: ________________________________

Observaciones adicionales: ____________________________

____

____

____

____

____

____

Nombre del alumno ______________________________

Dirección______________________________________

____

Lección 1—Fecha entregada_______________________

Fecha recibida del alumno_______________________

Lección 2—Fecha entregada_______________________

Fecha recibida del alumno_______________________

Lección 3—Fecha entregada_______________________

Fecha recibida del alumno_______________________

Lección 4—Fecha entregada_______________________

Fecha recibida del alumno_______________________

Lección 5—Fecha entregada_______________________

Fecha recibida del alumno_______________________

Lección 6—Fecha entregada_______________________

Fecha recibida del alumno_______________________

Lección 7—Fecha entregada_______________________

Fecha recibida del alumno_______________________

Lección 8—Fecha entregada_______________________

Fecha recibida del alumno_______________________

MIS CONCLUSIONES PERSONALES

Certificado de Aprobación

Esto certifica que

____

Ha concluido satisfactoriamente sus estudios del curso

MI CRECIMIENTO EN CRISTO

Dado en ________________________ Fecha ______________ 20 ___

____

Director(a) del Curso